#국어성취도평가
#실전모의고사

HME
국어 학력평가

**Chunjae
Maketh
Chunjae**

▼

HME 국어 학력평가 2학년

편집개발	김동렬, 원명희, 김한나, 김주남, 안정아
디자인총괄	김희정
표지디자인	윤순미, 강태원, 김지현
내지디자인	박희춘, 이혜진, 배미현
제작	황성진, 조규영

발행일	2021년 8월 1일 초판 2022년 8월 1일 2쇄
발행인	(주)천재교육
주소	서울시 금천구 가산로9길 54
신고번호	제2001-000018호
고객센터	1577-0902
교재 구입문의	1588-5566

HME 국어 학력평가

HME 국어 학력평가는 초등 국정 교과서를 집필하시는 교수 분들을 중심으로
〈초등 국어 학력평가 문항 개발 연구 위원회〉가 평가 문항을 개발하고
천재교육에서 평가를 주관하는 종합 국어 능력 측정 시험입니다.

초등 국어 학력평가 문항 개발 연구 위원회

- **책임 연구원** 이경화(한국교원대 교수)
- **공동 연구원** 최규홍(진주교대 교수), 김상한(한국교원대 교수), 김혜선, 최종윤, 박혜림(한국교원대 교수)
- **출제진** 초등국어교육 박사
  최종윤, 송민주, 신윤경, 천효정, 박혜림, 안부영, 이근영, 신선희, 김혜선, 하근회, 김지영, 최규홍, 김상한

  초등국어교육 박사 과정
  진솔, 김정은, 장동민, 김은지

  초등국어교육 석사
  김은선, 김미애, 이영신, 김문화

- **검토진** 교수
  이수진, 전제응, 이창근, 이경남, 최민영, 김태호

  초등국어교육 전공 박사 과정
  백희정, 배재훈

국어 기초 능력 평가
국어 학습의 기반이 되는 기초 국어 능력을 측정합니다.

독해력 평가
국어 능력의 중요 요소인 독해력을 각 세부 영역별로 측정합니다.

교과 과정 성취도 평가
각 학년별 국어 교과 과정의 주요 성취 기준 도달도를 측정합니다.

HME 국어 학력평가

전국 석차 제시
전체 수험자의 평가 값을 백분위화하여 자신의 국어 능력치를 객관적으로 확인할 수 있습니다.

통합사고력 평가
사고력, 창의력 문제해결력의 척도를 측정합니다.

 종합 국어 능력 수준 5단계 측정

성적	수준 구분	백분위
최우수	기대 성취도 이상의 국어 활용 능력을 보이며 통합 사고력 및 심화 독해력까지 매우 뛰어난 수준임.	1~10% 내외
우수	기대 성취도 이상의 국어 활용 능력을 보이며 통합 사고력 및 심화 독해력이 우수한 수준임.	11~20% 내외
보통	해당 학년의 기대 성취도에 부합하는 국어 구사 능력을 보임.	21~35% 내외
기초	해당 학년에 필수적인 국어 활용 능력을 갖추고 있으나 노력이 필요함.	36~50% 내외
노력	해당 학년에 필수적인 국어 활용 능력에 미달. 독해, 어휘, 문법 등 기초 국어 학습이 필요함.	51% 이하

※성적 측정 백분위는 학년별, 연도별로 기준치가 달라집니다.

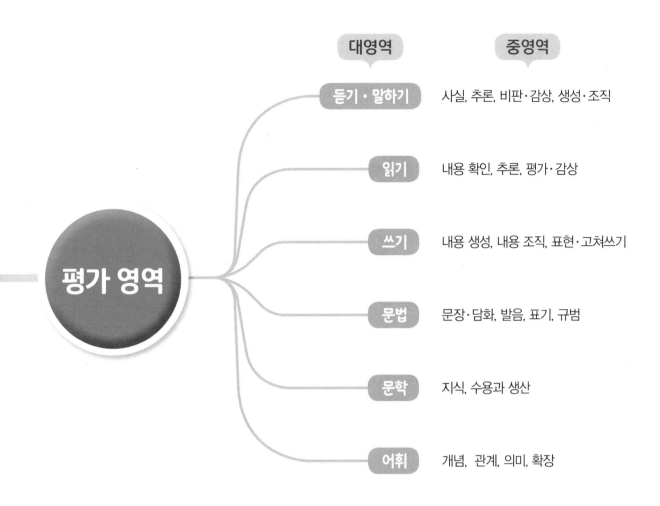

대영역	중영역
듣기 · 말하기	사실, 추론, 비판·감상, 생성·조직
읽기	내용 확인, 추론, 평가·감상
쓰기	내용 생성, 내용 조직, 표현·고쳐쓰기
문법	문장·담화, 발음, 표기, 규범
문학	지식, 수용과 생산
어휘	개념, 관계, 의미, 확장

평가 영역

📖 종합 독해력 5단계 측정

HME 국어 학력평가에서 독해력 측정에 필요한 평가 요소를 세부 영역별로 분석하여 학생의 독해력 수준과 지도 방향을 제시합니다.

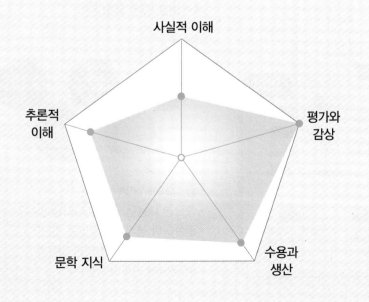

독해력 총점	45점 / 58점

독해의 유형을 다섯 가지 세부 영역으로 구분하여 나에게 익숙한 독서 방법과 보충해야 할 독해 방법을 안내합니다.

┌─ 지도 방향 예 ─
글의 내용을 요약하는 데 익숙하지 않습니다.
글에서 중요한 정보와 그렇지 않은 정보를 선별하며 읽어 보세요.

교재 구성

ⓐ 평가 영역 분석

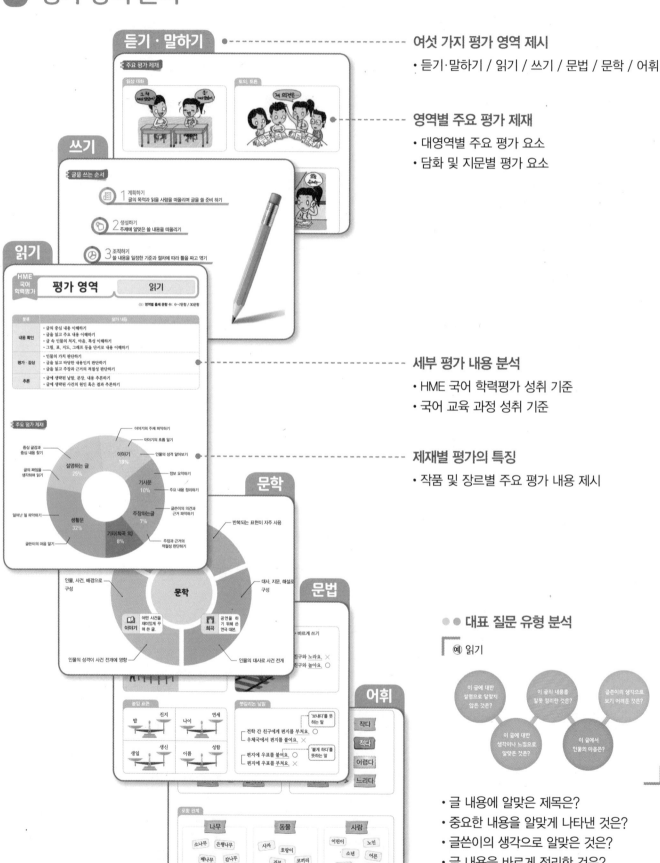

여섯 가지 평가 영역 제시
- 듣기·말하기 / 읽기 / 쓰기 / 문법 / 문학 / 어휘

영역별 주요 평가 제재
- 대영역별 주요 평가 요소
- 담화 및 지문별 평가 요소

세부 평가 내용 분석
- HME 국어 학력평가 성취 기준
- 국어 교육 과정 성취 기준

제재별 평가의 특징
- 작품 및 장르별 주요 평가 내용 제시

●● 대표 질문 유형 분석

⟮예⟯ 읽기

- 글 내용에 알맞은 제목은?
- 중요한 내용을 알맞게 나타낸 것은?
- 글쓴이의 생각으로 알맞은 것은?
- 글 내용을 바르게 정리한 것은?
- 이 글에서 인물의 마음은?

대표 유형 문제

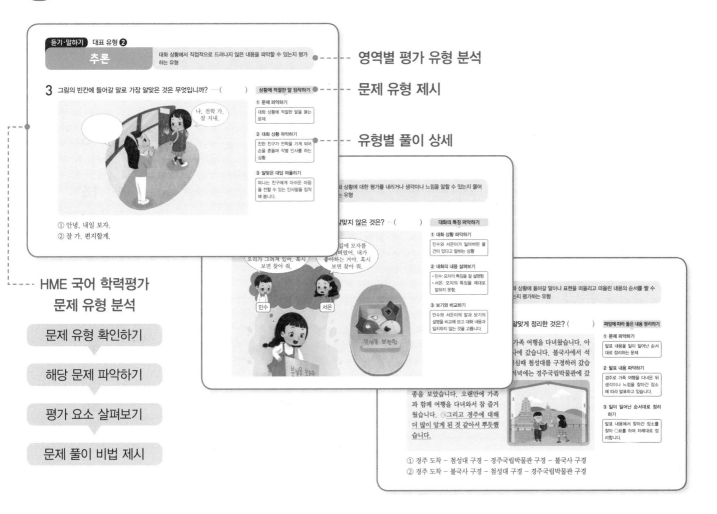

---- 영역별 평가 유형 분석

---- 문제 유형 제시

---- 유형별 풀이 상세

---- HME 국어 학력평가
      문제 유형 분석

- 문제 유형 확인하기
- 해당 문제 파악하기
- 평가 요소 살펴보기
- 문제 풀이 비법 제시

실전 모의고사 4회 제공

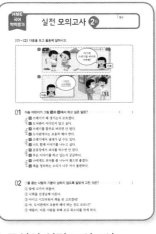

- 실제 HME 국어 학력평가와 같은 구성의 실전 모의고사
- 실제 HME 국어 학력평가와 유사한 난이도 구성

HME 국어 학력평가 차례

평가 영역과 대표 유형

실전 모의고사

HME 국어 학력평가

듣기·말하기
읽기
쓰기
문법
문학
어휘

평가 영역 ✛ 대표 유형 문제

- 평가 영역별 출제 유형 분석
- 출제 유형별 문제 해결 과정 제시

평가 영역

듣기·말하기

◐◑ **영역별 출제 문항 수:** 3~4문항 / 30문항

분류	평가 영역
사실	• 대화의 주제나 목적 파악하기 • 대화에서 중요한 내용 이해하기 • 지시하거나 가리키는 대상 파악하기
추론	• 대화에서 이어질 내용 예측하기 • 표정, 몸짓, 말투의 의미 짐작하기 • 인과 관계 이해하며 듣기 • 대화의 앞뒤 관계에서 직접 드러나지 않은 내용 파악하기
비판·감상	• 대화의 맥락에 알맞은 반응 보이기 • 적절한 표정, 몸짓, 말투인지 평가하며 듣기
생성·조직	• 화제에 맞게 대화 내용 이어 가기 • 일의 순서가 드러나게 말하기 • 적절한 표현 수단을 활용하여 대화하기

주요 평가 제재

일상 대화

발표

면담

전화 대화

이 유형의 문항은 듣고 말하는 여러 가지 상황에서 상대가 전하고자 하는 정보를 정확히 파악하고 나의 의도를 상대에게 분명히 전할 수 있는지를 평가하기 위해 출제됩니다.

대화는 듣기, 말하기를 통해 상대와 정보, 감정, 의견 등을 함께 나누는 활동입니다. 글을 읽고 쓰는 것과는 달리, 대화는 표정, 몸짓, 말투 등 비언어적 요소와 대화를 나누는 상황에 따라 그 의미와 해석이 달라지기도 합니다.

[듣기·말하기] 평가 영역에서는 이러한 대화의 특성을 이해하고 여러 가지 상황에서 효과적으로 국어를 구사할 수 있는지 평가하게 됩니다. 특히 초등 2학년 [듣기·말하기]에서는 **대화를 할 때에 대답할 말, 맞장구치는 말 등을 묻는 문제**가 자주 출제됩니다.

🔖 **대표 질문 유형**

빈칸에 들어갈 알맞은 대답은?

인물이 다음과 같이 말한 까닭은?

말하는 이의 생각으로 알맞은 것은?

인물이 한 말에 대한 설명으로 알맞은 것은?

인물이 하고 싶은 말은?

🔖 **주요 평가 요소**

| 대화의 목적과 주제를 알고 있는가? | 상대의 상황과 처지를 이해할 수 있는가? | 상황에 적절한 말을 주고받을 수 있는가? | 적절한 표정, 몸짓, 말투를 구사할 수 있는가? | 원만한 대화 내용을 만들 수 있는가? |

사실

대화 주제나 대화의 목적, 대화 상황이나 정보의 내용을 정확히 파악할 수 있는지 평가하는 유형

1 다음 대화에서 **은영이의 생각으로 알맞은 것은?** ········· (   )

> 현지: 은영아, 물로만 대충 씻고 빨리 밥 먹으러 가자.
> 은영: 안 돼. 손을 씻을 때는 비누칠을 하고 꼼꼼히 씻어야 해.
> 현지: 비누칠을 안 해도 내 손은 깨끗해 보이는걸?
> 은영: 그냥 보면 깨끗해 보이지만 우리 손에는 눈에 보이지 않는 세균들이 많아. 손을 제대로 씻지 않으면 나쁜 세균 때문에 우리 몸이 아플 수도 있어. 우리 깨끗이 손을 씻자. 내가 손 씻는 법을 가르쳐 줄게.
> 현지: 그래, 좋아.

① 배고플 때는 손을 대충 씻어도 된다.
② 손을 씻을 때는 꼼꼼히 씻어야 한다.
③ 깨끗해 보이는 손에는 나쁜 세균이 없다.
④ 비누칠을 하면 손에 있는 세균이 잘 자란다.
⑤ 손에 있는 세균은 우리의 건강에 도움을 준다.

인물의 생각 찾기

1 문제 파악하기
은영이가 한 말에서 생각을 찾는 문제

2 대화의 상황 파악하기
밥을 먹으러 가기 전에 손을 씻고 있음.

3 은영이가 한 말 정리하기
• 우리 손에는 눈에 보이지 않는 세균이 많다.
• 손을 꼼꼼히 씻어야 한다.

2 문제 **1** 의 대화 에서 **현지가 손을 물로만 씻자고 한 까닭은?** (   )

① 화장실에 비누가 없어서
② 화장실에 사람이 많아서
③ 점심을 먹고 싶지 않아서
④ 손이 더러워 보이지 않아서
⑤ 비누칠을 하면 손이 따끔거려서

대화 내용 파악하기

1 현지가 한 말 알아보기
내 손은 깨끗해 보인다.

2 주의할 점 생각하기
현지의 첫마디에서만 답을 찾으려고 하면 틀릴 수 있음.

추론

대화 상황에서 직접적으로 드러나지 않은 내용을 파악할 수 있는지 평가하는 유형

3 그림의 빈칸에 들어갈 말로 가장 알맞은 것은 무엇입니까? ……(　)

상황에 적절한 말 짐작하기

1 문제 파악하기
대화 상황에 적절한 말을 묻는 문제

2 대화 상황 파악하기
친한 친구가 전학을 가게 되어 손을 흔들며 작별 인사를 하는 상황

3 알맞은 대답 떠올리기
떠나는 친구에게 아쉬운 마음을 전할 수 있는 인사말을 짐작해 봅니다.

① 안녕, 내일 보자.
② 잘 가. 편지할게.
③ 내가 빌려줬던 책은?
④ 이제야, 전학 가는구나?
⑤ 이따가 집에 같이 가자.

4 다음 그림에서 로봇을 받으려는 아이가 대답할 말로 가장 알맞은 것은?
(　)

대화 예절에 알맞은 말 떠올리기

1 문제 파악하기
상대의 마음을 상하지 않게 할 수 있는 대답을 찾는 문제

2 대화 상황 파악하기
상대가 아끼는 물건을 나에게 선물하는 상황

3 알맞은 대답 떠올리기
상대에게 고마운 마음을 전할 수 있는 인사말을 생각해 봅니다.

① 아이고, 뭘 이런 걸 다.
② 오래됐으니까 그냥 나 줘라.
③ 나도 이거랑 똑같은 거 있어.
④ 망가지면 네가 고쳐 줄 거지?
⑤ 고마워. 조심해서 가지고 놀게.

비판·감상

대화 상황에 대한 평가를 내리거나 생각이나 느낌을 말할 수 있는지 물어보는 유형

5 민수와 서은이가 한 말에 대한 설명으로 알맞지 <u>않은</u> 것은? ⋯⋯(   )

야구를 하다가 모자를 잃어버렸어. 노란색이고 오리가 그려져 있어. 혹시 보면 찾아 줘.

등굣길에 모자를 잃어버렸어. 내가 좋아하는 거야. 혹시 보면 찾아 줘.

민수

서은

분실물 보관함

분실물 보관함

대화의 특징 파악하기

1 대화 상황 파악하기

민수와 서은이가 잃어버린 물건이 있다고 말하는 상황

2 대화의 내용 살펴보기

• 민수: 모자의 특징을 잘 설명함.
• 서은: 모자의 특징을 제대로 말하지 못함.

3 보기와 비교하기

민수와 서은이의 말과 보기의 설명을 비교해 보고 대화 내용과 일치하지 않는 것을 고릅니다.

① 민수는 모자의 특징을 알 수 있게 말하였다.
② 서은이는 모자의 특징을 제대로 말하지 않았다.
③ 서은이는 잃어버린 모자를 별로 좋아하지 않는다.
④ 민수는 모자가 어떤 색인지 알 수 있게 말하였다.
⑤ 서은이는 모자를 언제 잃어버렸는지 알 수 있게 말하였다.

6 서은이의 모자가 (문제 **5**의 그림) 속 분실물 보관함에 있다면, 서은이의 말을 알맞게 고친 것은? ⋯⋯⋯⋯⋯⋯⋯⋯⋯⋯⋯⋯⋯⋯⋯⋯⋯(   )

① 그 모자는 빨간색이고 줄무늬가 있어.
② 내가 잃어버린 모자는 흰색 줄무늬가 있어.
③ 내 모자는 파란색이고 고양이가 그려져 있어.
④ 그 모자는 초록색이고 아무 그림도 그려져 있지 않아.
⑤ 내가 잃어버린 모자는 초록색이고 곰 얼굴이 그려져 있어.

고칠 점 파악하기

1 분실물 보관함에 들어 있는 모자의 특징들을 살펴봐야 함.

2 민수의 모자가 아닌 것의 특징을 구별하여 답을 찾을 수 있음.

7 다음 발표를 듣고, **일이 일어난 순서대로 알맞게 정리한 것은?** ( )

> 우리 가족은 지난주 토요일에 경주로 가족 여행을 다녀왔습니다. 아침에 경주에 도착하자마자, 먼저 불국사에 갔습니다. 불국사에서 석가탑과 다보탑을 보았습니다. 그리고 점심때 첨성대를 구경하러 갔습니다. 첨성대는 생각보다 높았습니다. 저녁에는 경주국립박물관에 갔습니다. 박물관에서는 성덕대왕신종을 보았습니다. 오랜만에 가족과 함께 여행을 다녀와서 참 즐거웠습니다. ㉠그리고 경주에 대해 더 많이 알게 된 것 같아서 뿌듯했습니다.

짜임에 따라 들은 내용 정리하기

1 문제 파악하기
> 발표 내용을 일이 일어난 순서대로 정리하는 문제

2 발표 내용 파악하기
> 경주로 가족 여행을 다녀온 뒤 생각이나 느낌을 찾아간 장소에 따라 발표하고 있습니다.

3 일이 일어난 순서대로 정리하기
> 발표 내용에서 찾아간 장소를 찾아 ○표를 하며 차례대로 정리합니다.

① 경주 도착 – 첨성대 구경 – 경주국립박물관 구경 – 불국사 구경
② 경주 도착 – 불국사 구경 – 첨성대 구경 – 경주국립박물관 구경
③ 불국사 구경 – 첨성대 구경 – 경주 도착 – 경주국립박물관 구경
④ 불국사 구경 – 경주 도착 – 첨성대 구경 – 경주국립박물관 구경
⑤ 첨성대 구경 – 불국사 구경 – 경주국립박물관 구경 – 경주 도착

8 문제 **7** 의 발표 에서 ㉠ **대신에 발표해도 좋은 내용을 알맞게 말한 친구는?** ( )

발표할 내용 떠올리기

1 문제 파악하기
> 발표 흐름에 따라 마지막에 들어갈 내용을 묻는 문제

① 경주보다는 부산에 가고 싶긴 했습니다.

② 경주는 앞으로 갈 일이 없을 것 같습니다.

2 ㉠의 특성 살펴보기
> ㉠은 경주에 다녀온 전체적인 소감, 생각이나 느낌을 말하고 있습니다.

③ 그런데 경주는 너무 멀어서 조금 힘들었습니다.

④ 경주에 가 보지 않은 친구들이 있다면 꼭 가 보라고 말해 주고 싶습니다.

3 ㉠과 바꾸어도 좋은 내용 생각하기
> 앞의 내용과 잘 연결되면서 경주 여행에 대한 전체적인 생각이나 느낌으로 어울리는 말을 생각해 봅니다.

⑤ 경주에 도착하기 전에 휴게소에서 먹었던 간식이 참 맛있어서 아직까지 생각납니다.

평가 영역   읽기

● 영역별 출제 문항 수: 8~9문항 / 30문항

분류	평가 영역
내용 확인	• 글의 중심 내용 이해하기 • 글을 읽고 주요 내용 이해하기 • 글 속 인물의 처지, 마음, 특성 이해하기 • 그림, 표, 지도, 그래프 등을 단서로 내용 이해하기
평가·감상	• 인물이 추구하는 가치 판단하기 • 글을 읽고 타당한 내용인지 판단하기 • 글을 읽고 주장과 근거의 적절성 판단하기
추론	• 글을 읽는 목적에 알맞은 내용 파악하기 • 글에 생략된 낱말, 문장, 내용 추론하기 • 글에 생략된 사건의 원인 혹은 결과 추론하기

🔖 평가 제재 종류와 출제 비율

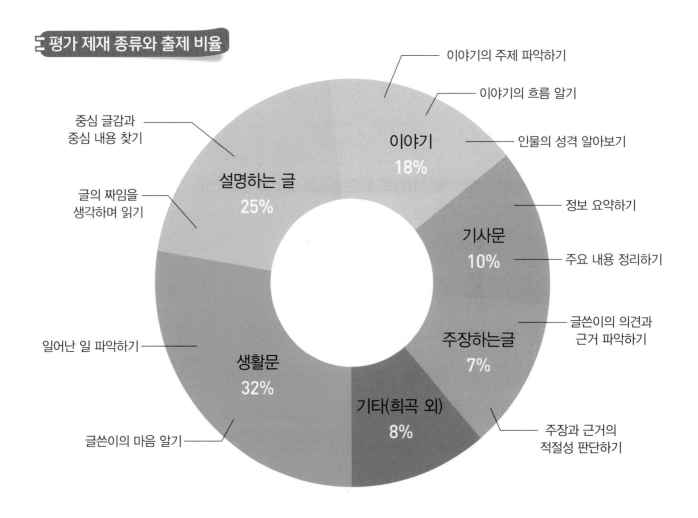

- 이야기의 주제 파악하기
- 이야기의 흐름 알기
- 인물의 성격 알아보기

이야기 18%

- 정보 요약하기
- 주요 내용 정리하기

기사문 10%

- 글쓴이의 의견과 근거 파악하기

주장하는글 7%

- 주장과 근거의 적절성 판단하기

기타(희곡 외) 8%

생활문 32%

- 글쓴이의 마음 알기
- 일어난 일 파악하기

설명하는 글 25%

- 중심 글감과 중심 내용 찾기
- 글의 짜임을 생각하며 읽기

평가의 목적

〔읽기〕 유형의 문항은 제시된 글을 읽고 글의 내용을 정확히 파악하여 이를 자신의 지식으로 쌓을 수 있는지를 평가하기 위해 출제됩니다.

〔읽기〕는 글로 표현된 정보와 생각을 나의 경험과 지식을 바탕으로 이해하고 이를 다시 나의 경험과 지식으로 되쌓는 활동입니다. 글의 종류나 글을 읽는 목적에 따라 다양한 유형의 읽기 방법이 있고 거기서 쌓게 되는 지식의 유형도 다양합니다.

초등 2학년 〔읽기〕 영역에서는 내용을 파악하고 이를 체계화하여 습득하는 활동이 본격적으로 이루어집니다. 그래서 **글의 중심 내용을 파악**하고 이를 글의 짜임에 따라 이해할 수 있는지, **글의 사실과 의견을 구분**하고 이를 비판적으로 생각할 수 있는지 평가하는 문제가 자주 출제됩니다.

대표 질문 유형

이 글에 대한 설명으로 알맞지 않은 것은?

이 글의 내용을 잘못 정리한 것은?

글쓴이의 생각으로 보기 어려운 것은?

이 글에 대한 생각이나 느낌으로 알맞은 것은?

이 글에서 인물의 마음은?

주요 평가 요소

| 글의 중심 내용을 파악하며 읽을 수 있는가? | 글의 구조나 짜임을 이해하고 있는가? | 드러나지 않은 내용이나 결과를 짐작할 수 있는가? | 읽는 목적에 따라 중요한 내용을 찾을 수 있는가? | 주장과 근거가 적절한지 판단할 수 있는가? |

내용 확인

글을 읽고 글의 중심 글감, 중심 내용을 파악할 수 있는지, 글의 정보를 바르게 이해하고 있는지 평가하는 유형

▶ 정답과 풀이 4쪽

1 수컷 사슴벌레에 대한 설명으로 알맞지 <u>않은</u> 것은? ·········· (　　　)

　　숲속 나무에 곤충 한 마리가 붙어 있어요. 가까이 다가가 볼까요? 뿔처럼 생긴 멋진 큰턱이 있는 것을 보니 수컷 사슴벌레예요. 수컷 사슴벌레에 대해 같이 알아보아요.
　　수컷 사슴벌레의 생김새에서 가장 먼저 눈에 띄는 것은 큰턱이에요. 수컷 사슴벌레는 큰턱을 가지고 있어요. 큰턱 옆에는 더듬이도 있어요. 수컷 사슴벌레의 등은 단단한 껍데기로 덮여 있어요. 단단한 껍데기 속에는 얇은 속 날개가 있지요.
　　수컷 사슴벌레는 나뭇진을 먹고 살아요. 배가 고픈 수컷 사슴벌레는 더듬이를 세워 나뭇진의 냄새를 맡아요. 그리고 속 날개를 사용해 나뭇진이 흐르는 나무로 날아가지요. 수컷 사슴벌레는 나뭇진을 핥아 먹어요. 특히 참나무 진은 수컷 사슴벌레가 아주 좋아하는 먹이랍니다.
　　수컷 사슴벌레는 다른 수컷 사슴벌레와 자주 힘겨루기를 해요. 자신을 드러내어 보이거나 먹이를 차지하기 위해서지요. 나무 위에서 마주 선 수컷 사슴벌레는 큰턱을 맞대고 상대를 밀어붙여요. 한 수컷 사슴벌레가 큰턱으로 상대를 꽉 잡고 번쩍 들어 올리면 힘겨루기가 끝이 나요.

① 큰턱을 가지고 있다.
② 나뭇진을 먹고 산다.
③ 큰턱을 이용해서 힘겨루기를 한다.
④ 암컷 사슴벌레와 힘겨루기를 한다.
⑤ 더듬이를 세워서 나뭇진의 냄새를 맡는다.

글의 내용 파악하기

1 문제 파악하기

수컷 사슴벌레의 특징을 파악하는 문제

2 수컷 사슴벌레의 특징 살펴보기

· 큰턱을 가졌음.
· 나뭇진을 먹고 삶.
· 단단한 껍데기로 덮인 등.
· 힘겨루기를 함.

3 헷갈리는 보기 추려내기

글에는 암컷 사슴벌레에 대한 설명이 없습니다.

2 문제 **1**의 글 에서 수컷 사슴벌레가 힘겨루기를 하는 까닭은?
·· (　　　)

① 새끼를 낳기 위해서
② 집을 차지하기 위해서
③ 친구를 사귀기 위해서
④ 먹이를 차지하기 위해서
⑤ 큰턱이 멀쩡한지 확인하기 위해서

글의 세부 내용 파악하기

● 수컷 사슴벌레의 힘겨루기

· 상대: 다른 수컷 사슴벌레
· 목적: 자신을 드러내어 보이기 위해서 등

3 글쓴이가 ㉠의 예라고 생각하는 점이 <u>아닌</u> 것은? ·········· (　　　)

지시하는 내용 찾기

1 문제 파악하기
글 속에서 지시하는 내용이 무엇인지 찾는 문제

　　한글날에 나는 삼촌에게 놀러 갔다. 국어학자인 삼촌은 우리말을 연구하신다. 삼촌은 나에게 우리말의 소중함에 대하여 알려 주셨다.
　　우리 민족은 5000년 동안 우리말을 사용했다. 우리말 속에는 우리 조상의 정신이 담겨 있다.
　　하지만 우리는 우리말의 소중함을 잘 모르는 것 같다. 우리말을 두고 영어로 '나이스(Nice)', '굿(Good)' 하며 말하기도 하고, 유행어를 따라 하기도 한다. 또 우리말을 마구 줄여 쓰기도 한다. ㉠우리말이 점점 오염되고 파괴되고 있는 것이다.
　　소중한 우리말을 내가 먼저 아끼고 사랑해야겠다. 그 첫걸음은 바른 말을 사용하는 것이다. 내일은 도서관에 가서 우리말에 대한 책을 빌려 볼 것이다.

2 우리말이 점점 오염되고 파괴되고 있는 모습
• 우리말을 두고 영어를 말하는 것.
• 유행어를 따라 하는 것.
• 우리말을 마구 줄여 쓰는 것.

3 헷갈리는 보기 추려내기
글에서는 사투리에 대한 내용이 나타나 있지 않음.

① 유행어를 따라 하는 것
② 우리말을 마구 줄여 쓰는 것
③ 우리말 대신 사투리를 사용하는 것
④ 우리말 대신 영어로 '굿(Good)'이라고 말하는 것
⑤ 우리말 대신 영어로 '나이스(Nice)'라고 말하는 것

4 문제 **3**의 글 에서 글쓴이가 우리말 사랑을 실천하기 위해 **하려는 일**을 알맞게 고른 것은? ·········· (　　　)

글쓴이의 생각 찾기

● 생각이나 다짐을 드러낼 때 주로 쓰이는 표현
• '~하기로 마음먹었다.',
• '~해야겠다.',
• '~할 것이다.'
• '~라고 생각한다.'

㉮ 바른 말 사용하기
㉯ 영어 공부 하지 않기
㉰ 우리말에 대한 책 빌려 보기
㉱ 토박이말에 대하여 공부하기
㉲ 유행어나 줄임 말 사용하지 않기

① ㉮ - ㉯　　　② ㉮ - ㉰　　　③ ㉮ - ㉱
④ ㉯ - ㉱　　　⑤ ㉰ - ㉲

평가·감상

글을 읽고 글쓴이의 생각을 찾거나 주장에 대한 근거가 타당한지, 글을 읽는 목적에 알맞은 내용을 찾을 수 있는지 평가하는 유형

5 ㉠~㉤ 중에서 **서영이의 생각을 나타낸 문장은?** ⸺⸺⸺⸺ (　　　)

　　가족들과 함께 즐겁게 저녁을 먹었습니다. 어머니께서 만들어 주신 갈비찜을 모두가 맛있게 먹었습니다. 그러나 ㉠나는 조금도 먹지 못하였습니다. 어금니 두 개가 아팠기 때문입니다. ㉡아버지께서는 제가 초콜릿을 많이 먹고 이를 깨끗하게 닦지 않아서 그런 것 같다고 하셨습니다. 어머니와 함께 시장에 있는 코끼리 치과에 갔습니다.
　　㉢치과에 사람이 거의 없어서 빨리 치과 의사 선생님을 만날 수 있었습니다.
　　"서영아, 이가 많이 아팠겠구나! 어금니가 많이 흔들려서 음식을 잘 먹지 못 했을 텐데……."
　　치과 의사 선생님께서 흔들리는 어금니를 빼 주셨습니다. ㉣어머니께서는 아픈데 잘 참고 진료도 잘 받았다고 나를 칭찬해 주셨습니다. 이가 아프면 음식을 잘 먹지 못하니 이제부터라도 ㉤이를 잘 닦고 초콜릿이나 사탕을 조금만 먹는 습관을 길러야겠습니다.

① ㉠　　　　　　② ㉡　　　　　　③ ㉢
④ ㉣　　　　　　⑤ ㉤

생각과 사실 구분하기

1 문제 파악하기
글에 나오는 인물 '서영'의 생각이 드러난 문장을 고르는 문제

2 서영이가 겪은 일
• 이가 아파서 갈비찜을 제대로 먹지 못함.
• 치과에 가서 어금니를 뺌.
• 앞으로 습관을 바꿔야겠다고 다짐함.

3 생각과 사실을 구분하려면?
겪은 일이나 보고 들은 일은 사실이고 마음먹은 것이나 다짐은 생각에 해당합니다.

6 문제 **5**의 글 에서 서영이가 **다짐한 내용**을 어떻게 지켜야 할지 도화지에 써서 벽에 붙였습니다. **알맞지 않은** 것은? ⸺⸺⸺⸺ (　　　)

　⑦ 이를 깨끗하게 잘 닦자.
　⑭ 사탕을 조금만 먹어야겠다.
　⑮ 이가 아프면 잘 참아야겠다.
　⑯ 초콜릿을 조금만 먹어야겠다.
　⑰ 단 음식을 먹고 나면 이를 꼭 닦자.

① ㉮　　　　　　② ㉯　　　　　　③ ㉰
④ ㉱　　　　　　⑤ ㉲

글쓴이의 생각 표현하기

1 문제 파악하기
서영이가 다짐한 내용을 구체적인 표어로 나타내는 문제

2 서영이의 다짐 살펴보기
• 이를 잘 닦아야겠다.
• 초콜릿이나 사탕을 조금만 먹어야 겠다.

7 다음 광고에 대한 설명으로 알맞지 <u>않은</u> 것은? ⋯⋯⋯⋯⋯⋯ (   )

광고의 의도 찾기

1 문제 파악하기
광고에 나타난 표현과 광고에서 전하려는 생각을 찾는 문제

2 광고의 내용 파악하기
• 손가락에 세계 여러 나라 사람 인형을 끼움.
• 함께일 때 완전한 힘을 가진다고 표현함.

3 헷갈리는 보기 추려내기
광고에서 전하고자 하는 말을 바르게 이해하였는지, 그 뜻을 드러내기 위해 광고에 쓰인 표현이 적절한지 비교해 봅니다.

안녕,
우리 친구하자

이름도 쓰임새도 모두 다른 손가락.
그중 어떤 것도 최고일 수는 없습니다.
함께일 때 완전한 힘을 가지는 우리는
어울림의 표시입니다.

조혜련, 박주연 『제5회 문화체육장관부 대학생 광고 공모전 – 우수상 수상작 –』

① 손가락마다 쓰임새가 모두 다르다고 표현하였다.
② 다섯 손가락 중 가장 최고인 손가락은 엄지라고 하였다.
③ 서로 다른 손가락에 서로 다른 나라 사람의 인형을 끼웠다.
④ '안녕, 우리 친구하자'라는 제목에 전하려는 생각이 나타나 있다.
⑤ 세계의 여러 나라 사람들이 서로 친하게 어울려야 한다는 생각이 나타나 있다.

8 이 광고에 대한 생각이나 느낌을 잘못 말한 친구는? (   )

① 세미: 모든 나라가 서로 사이좋게 지내면 좋겠어.
② 연지: 다섯 손가락의 이름과 쓰임새는 모두 달라.
③ 재현: 피부색이 다르다고 차별하면 안 된다고 생각해.
④ 희준: 못사는 나라 사람이라고 무시하면 안 되겠구나.
⑤ 선우: 다른 나라 사람과도 친구가 될 수 있을 것 같아.

광고에 대한 감상 찾기

1 광고의 주제 살펴보기
전 세계 사람들 모두 사이좋게 어울려야 한다.

2 문제 해결하기
광고의 주제와 관련된 생각이나 느낌을 말하지 않은 사람을 찾아야 합니다.

추론

글을 읽고 글에 생략된 낱말, 문장, 내용 등을 짐작하거나 원인과 결과에 알맞은 내용을 추론할 수 있는지 평가하는 유형

9 ㉠을 들은 **미선이의 기분으로 적절한 것은?** .... (   )

> "어머니, 저도 영석이처럼 빨간색 자전거 갖고 싶어요."
> "그렇구나! 그럼, 우리 새 자전거 사러 갈까?"
> 우리 집 앞, 무지개 자전거 가게에 도착하였다. 여러 색깔과 종류의 자전거가 가득했다. 그중에서 반짝반짝 빛나는 빨간색 자전거 한 대가 보였다. 정말 멋져 보였다.
> "어머니, 이 빨간색 자전거를 사고 싶어요."
> "우리 미선이가 제일 좋아하는 빨간색이네. 즐겁고 안전하게 탈 수 있겠지?"
> 집으로 돌아와 새 자전거를 타고 우리 집 뒤에 있는 공원으로 나가 보았다. 공원에는 내 친구 영석이가 자전거를 타고 있었다.
> "영석아! 나 오늘 너처럼 빨간색 자전거 샀어. 어때?"
> "와! 미선아, 정말 멋지다. 그럼 우리 같이 자전거 타고 달려 볼까?"
> 영석이가 내 자전거를 보고 멋지다고 말해 주어서 기분이 날아갈 것 같았다.
> ㉠"미선아, 너 정말 자전거 잘 탄다. 진짜 빠른데?"
> 영석이가 나를 보고 환하게 웃으면서 말했다. 집에 돌아와서 내 자전거에 묻은 흙을 깨끗이 닦았다. ㉡나는 오늘 이 세상의 주인공이 된 것 같은 마음이 들었다.

① 흐뭇하다.   ② 미안하다.
③ 서운하다.   ④ 심심하다.
⑤ 걱정스럽다.

인물의 마음 추론하기

1 문제 파악하기
일어난 사건을 통해 인물의 마음을 짐작하는 문제

2 글의 내용 파악하기
• 미선이가 겪은 일
 – 새 자전거를 갖게 됨.
 – 영석이가 칭찬해 줌.
 – 자전거를 즐겁게 탐.

3 인물의 마음을 짐작할 수 있는 부분
나는 오늘 이 세상의 주인공이 된 것 같은 마음이 들었다.

---

10 문제 **9** 의 글 에서 미선이가 ㉡과 같은 **마음이 든 까닭으로 알맞지 않은 것은?** .... (   )

① 새로 빨간색 자전거를 사서
② 빨간색 자전거가 빠르고 잘 달려서
③ 영석이가 자전거를 잘 탄다고 말해 주어서
④ 새로 산 빨간색 자전거에 흙이 많이 묻어서
⑤ 영석이의 말을 듣고 기분이 날아갈 것 같아서

인물의 마음과 그 까닭 알기

1 미선이의 마음 ㉡
세상의 주인공이 된 것 같다.
→ 몹시 기분이 좋다.

2 답을 찾으려면?
미선이의 기분을 좋게 한 일이 아닌 것을 찾아야 함.

11 고래가 숨을 쉬려고 올라왔을 때 **물 위로 내미는 부분은?** ·········· (   )

글의 내용 추론하기

1 문제 파악하기

글 내용을 바탕으로 고래가 숨 쉬는 모습을 짐작하는 문제

> 옛날에 사람들이 고래를 발견하면 "저기, 고래가 물을 뿜는다!" 하고 소리쳤어. 하지만, 사람들은 고래가 왜 물을 뿜는지 알지 못하였단다.
>
> 그렇다면 고래는 왜 물을 뿜을까? 오랫동안 잠수한 고래는 물 위로 올라와 참고 있던 숨을 한꺼번에 숨구멍으로 뿜어낸단다. 그때, 고래의 따뜻한 숨과 차가운 공기가 서로 닿아 뭉치면서 흰 물보라처럼 보이지.
>
> 물을 내뿜는 고래의 숨구멍은 어디에 있을까? 고래는 물속에서 숨을 쉴 수 없어 숨을 쉬려면 물 위로 올라와야 해. 숨구멍은 고래의 머리 꼭대기에 있단다.
>
> 고래는 종류에 따라 물을 뿜는 모양이 달라. 그래서 물을 뿜는 모양만 보아도 어떤 고래인지 알 수 있어. 물을 가장 높이 내뿜는 고래는 대왕고래야. 향고래는 물을 뿜는 모습이 특이하단다. 숨구멍이 왼쪽으로 치우쳐 있어 [   ]

2 글의 내용 살펴보기

고래가 물을 뿜는 까닭
→ 잠수하며 참고 있던 숨을 한꺼번에 내쉬면 흰 물보라처럼 보이기 때문.

3 고래가 숨 쉬는 모습 떠올리기

고래의 숨구멍이 몸의 어느 부분에 있는지 생각해 봅니다.

① 고래의 배 부분
② 고래의 머리 부분
③ 고래의 꼬리 부분
④ 고래의 다리 부분
⑤ 고래의 양쪽 지느러미

12 문제 **11** 의 글 에서 [   ] 에 들어갈 내용을 알맞게 짐작한 것은?
·· (   )

글의 내용 추론하기

• 숨구멍이 한쪽으로 치우쳐 있다면 어떤 모양으로 물을 뿜게 될지 짐작해 봅니다.

① 비스듬히 물을 뿜지.
② 물을 잘 빨아들이지.
③ 바닷속으로 물을 뿜지.
④ 숨을 안 쉬어도 된단다.
⑤ 왼쪽 부분이 더 무겁단다.

평가 영역

쓰기

◑◑ 영역별 출제 문항 수: 3문항 / 30문항

분류	평가 영역
내용 생성	• 제재나 내용에 알맞은 낱말이나 문장 떠올리기 • 글을 쓰는 목적에 맞게 내용 떠올리기 • 자료를 수집하고 분석하여 쓸 내용 만들기
내용 조직	• 글의 전개 방법에 맞게 글 구성하기 • 글의 목적이나 주제에 관련된 내용을 조직하기 • 글의 주제나 문맥에 어울리게 내용 조직하기 • 글의 핵심 내용을 강조하거나 반복하여 조직하기 • 문장이나 문단의 내용이나 순서가 관계있도록 조직하기
표현, 고쳐 쓰기	• 글의 목적, 주제, 읽는 이 등에 맞게 글 쓰기 • 중심 문장과 뒷받침 문장을 갖추어 문단 쓰기 • 문단의 차례를 알맞게 배치하기 • 글을 효과적으로 전달할 수 있는 표현 방법 사용하기 • 문장 부호, 띄어쓰기, 문장 호응을 알맞게 고치기 • 글자나 낱말을 알맞게 고쳐 쓰기

글 쓰기의 과정

1 계획하기
글의 목적과 읽을 사람을 떠올리며 글을 쓸 준비를 하는 단계

2 생성하기
쓸 내용을 떠올려 나가기

3 조직하기
쓸 내용을 일정한 기준과 절차에 따라 틀을 짜서 엮기

4 표현하기
읽을 사람이 이해하기 쉽게 쓰기

5 고쳐쓰기
글, 문단, 문장, 낱말 수준에서 고쳐쓰기

평가의 목적

[쓰기] 평가 영역은 한 편의 글을 쓰기 위한 일련의 과정을 이해하고 의도에 맞게 글을 쓰는 능력을 갖추고 있는지 평가하기 위한 영역입니다.

글쓰기는 글을 쓰는 목적에 따라 내용을 선정하고, 짜임에 따라 쓸 내용을 체계화하고, 국어 지식과 적절한 어휘를 사용하여 표현하고, 처음 계획에 맞게 써졌는지 다시 확인하는 단계를 거칩니다.

이 영역에서는 이러한 글쓰기 과정을 충분히 이해하고 있는지, 적절한 표현 능력을 갖추었는지를 평가하게 됩니다. 특히 초등 2학년 [쓰기] 영역에서는 일기나 편지와 같은 생활문 등에서 **쓸 내용을 떠올리거나, 잘못 쓴 문장을 고칠 수 있는지**를 주로 평가합니다.

대표 질문 유형

빈칸에 들어갈 표현으로 알맞은 것은?

이와 같은 글을 쓸 때에 들어갈 내용이 아닌 것은?

글의 가장 처음에 들어갈 내용은?

틀린 글자를 바르게 고친 것은?

밑줄 친 낱말을 바르게 고쳐 쓴 것은?

주요 평가 요소

글에 들어갈 내용을 떠올릴 수 있는가?	문단의 순서를 알맞게 배치할 수 있는가?	자료를 알맞게 해석하고 활용할 수 있는가?	조건에 맞게 문장을 표현할 수 있는가?	글의 문제점을 파악할 수 있는가?

내용 생성

글을 쓰기 전에 쓸 내용을 떠올리는 방법이나 쓸 내용을 알맞게 생성할 수 있는지 평가하는 유형

1 하은이가 영훈이에게 고마운 마음을 전하기 위해 편지를 썼습니다. ㉠ 에 들어갈 표현으로 알맞은 것은? ·········· ( )

> 영훈이에게
>
> 영훈아 안녕? 나는 하은이야.
> 지난주 수요일 국어 시간에 있었던 일 기억나니? 갑자기 지우개가 안 보여서 내가 한참 지우개를 찾고 있었잖아. 그때 네가 지우개를 빌려줘서 정말 고마웠어. 다음에 너에게 필요한 물건이 있으면 네가 도와준 것처럼 내가 꼭 ㉠ .
> 그럼 잘 지내. 안녕!
>
> 20○○년 ○○월 ○○일
> 하은이가

① 빌려줄게.   ② 알려 줄게.
③ 들어 줄게.   ④ 놀아 줄게.
⑤ 치워 줄게.

대화의 주제 찾기

1 문제 파악하기
알맞은 표현을 넣어 문장을 완성하는 문제

2 편지의 내용 파악하기
• 받을 사람: 영훈
• 쓴 사람: 하은
• 고마웠던 일: 하은이가 지우개를 찾고 있을 때 영훈이가 지우개를 빌려준 일

3 문제 해결하기
'네가 도와준 것처럼'이라는 말 다음에 들어갈 내용인 것을 생각해야 함.

2 문제 **1** 의 글 과 같은 편지를 쓸 때에 들어가는 내용이 아닌 것은? ·········· ( )

① 첫인사
② 끝인사
③ 받을 사람
④ 가운데 인사
⑤ 전하고 싶은 말

편지에 들어가는 내용

• 받는 사람이 누구인지?
• 처음 쓰는 인사말
• 편지에서 하고 싶은 말
• 끝으로 쓰는 인사말
• 언제 쓰는 편지인지?
• 누가 쓰는 편지인지?

내용 조직

글의 목적이나 주제를 잘 드러낼 수 있도록 문단이나 문장을 알맞게 연결하여 글에 쓸 내용을 체계적으로 짤 수 있는지 평가하는 유형

3 가은이가 겪은 일을 글로 쓰기 위해 차례대로 떠올렸습니다. 글의 가장 **처음**에 들어갈 내용은? ·· (   )

겪은 일로 글 쓰기

1 문제 파악하기

인상 깊었던 일을 쓰는 과정을 묻는 문제

① 일요일 아침에 어머니 방의 달력에서 어머니 생신 날짜를 보고 깜짝 놀랐습니다.

② 생신 선물로 어머니 얼굴 그림을 그려 드리기로 했습니다.

2 그림의 내용 파악하기

❶ 일요일 아침 어머니 생신 선물을 무엇으로 할지 떠올림.

❷ 생신 선물로 그림을 그려 드리기로 정함.

❸ 선물을 받으신 어머니를 떠올림.

❹ 선물을 드린 다음의 생각이나 느낌을 떠올림.

③ 내 그림을 받아 보신 어머니께서 고맙다고 하시며 꼭 껴안아 주셨습니다.

④ 내가 준비한 선물을 받은 어머니께서 기뻐하셔서 뿌듯했습니다. 다음 생신 때도 정성이 담긴 선물을 드려야겠다고 다짐했습니다.

3 문제 해결하기

가은이가 겪은 일 중 가장 먼저 일어난 일을 찾아야 함.

① 어머니 얼굴 그림을 열심히 그렸다.

② 오늘 날짜에 동그라미가 표시돼 있었다.

③ 일요일 아침에 일어나서 달력을 보았다.

④ 선물로 어머니 그림을 그려 드리기로 했다.

⑤ 어머니께서 기뻐하셔서 정말 뿌듯하고 기분이 좋았다.

표현 · 고쳐쓰기

내용을 효과적으로 드러낼 수 있는 방법으로 알맞게 표현할 수 있는지, 잘못 쓴 내용을 바르게 고쳐 쓸 수 있는지 평가하는 유형

4 연수가 친구를 소개하는 글을 썼습니다. **틀린 글자를 바르게 고친 것은?**

( )

> 　제가 소개하고 싶은 친구는 이름이 이소민이고 여자입니다. 소민이는 키가 작고 머리가 갈색입니다.
> 　소민이는 아주 천처니 연주하는 음악을 좋아합니다. 소민이는 우리 반 친구들 중에 피아노를 가장 잘 침미다. 소민이의 꿈은 아주 훌륭한 피아노 연주가가 되어서 조은 음악을 세개 여러 사람들에게 들려주는 것이라고 합니다. 소민이가 꿈을 꼭 이루었으면 ㉮좋습니다.

① 소게 → 속에
② 천처니 → 천천이
③ 침미다 → 침니다
④ 조은 → 좋은
⑤ 세개 → 세게

맞춤법에 맞게 쓰기

1 문제 파악하기

주어진 글에서 맞춤법에 맞지 않는 글자를 바르게 고쳐 쓸 수 있는지 묻는 문제

2 틀린 낱말에 밑줄 긋기

• 제가 소게하고 싶은
• 천처니 연주하는 음악
• 피아노를 가장 잘 침미다
• 조은 음악을
• 세개 여러 사람들에게

5 문제 **4** 의 글 에서 ㉮를 **알맞게 고쳐 쓴 것은?** ( )

① 좋네요.
② 좋을까요?
③ 좋을까…….
④ 좋겠습니다.
⑤ 좋을지 모르겠습니다.

문장에 알맞게 고쳐 쓰기

1 앞의 내용 살펴보기

소민이가 꾸을 이루길 바란다는 내용임.

2 바르게 고쳐 쓰기

'꿈을 꼭 이루었으면'이므로, 이와 어울리는 표현은 '좋겠다'입니다.

평가 영역

문법

분류	평가 영역
문장, 담화	• 알맞은 문장 부호 사용하기 • 적절하게 호응하는 문장 구사하기 • 비문을 알맞은 문장으로 고치기 • 시제의 일치
발음, 표기, 규범 (맞춤법, 높임법)	• 낱말이 어떻게 소리 나는지 알기 (연음, 탈락, 첨가) • 소리와 표기가 다른 낱말 알맞게 사용하기 • 낱말의 기본형 알기 • 용언의 알맞은 활용 형태 알기 • 알맞은 높임 표현 알기

주요 평가 문법

발음

• 소리 내어 읽기

동물을 보았습니다.

[동무를] ○

[동물를] ✕

표기

• 바르게 쓰기

친구와 노라요. ✕

친구와 놀아요. ○

높임 표현

밥	진지	나이	연세
생일	생신	이름	성함

헷갈리는 낱말

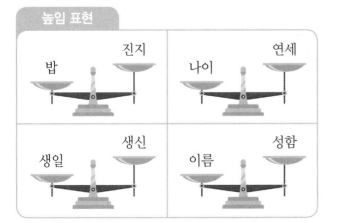

'보내다'를 뜻하는 말

┌ 전학 간 친구에게 편지를 부쳐요. ○
└ 우체국에서 편지를 붙여요. ✕

'붙게 하다'를 뜻하는 말

┌ 편지에 우표를 붙여요. ○
└ 편지에 우표를 부쳐요. ✕

문법 평가 영역은 국어 문법에 대한 기초 지식과 활용 능력을 평가하기 위한 영역입니다.

언어는 같은 언어를 사용하는 사람들 사이에서 일정한 규칙에 따라 만들어지고 쓰이게 되는데, 이러한 말의 규칙이 '문법'입니다. 국어 역시 발음(소리 내어 읽기), 표기(맞춤법), 구성(낱말이나 문장의 짜임) 등 국어 나름의 문법을 가지고 있습니다.

이 영역에서는 학년 수준에 맞는 국어 문법 지식을 가지고 있는지, 또 이를 국어 생활에 적절히 활용할 수 있는지 평가하게 됩니다. 초등 2학년 **문법** 평가 영역에서는 **표기나 의미가 헷갈리기 쉬운 낱말의 의미를 정확히 구분하고 문장에 맞게 사용할 수 있는지**를 주로 평가합니다.

대표 질문 유형

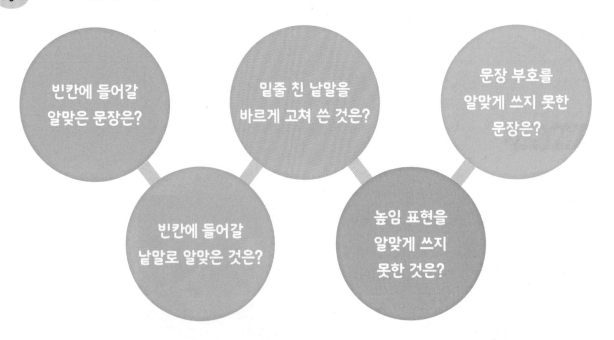

빈칸에 들어갈 알맞은 문장은?

빈칸에 들어갈 낱말로 알맞은 것은?

밑줄 친 낱말을 바르게 고쳐 쓴 것은?

높임 표현을 알맞게 쓰지 못한 것은?

문장 부호를 알맞게 쓰지 못한 문장은?

주요 평가 요소

| 어법에 맞는 문장을 구사할 수 있는가? | 낱말의 정확한 발음을 알고 있는가? | 적절한 높임말을 사용할 수 있는가? | 낱말의 알맞은 표기를 알고 쓸 수 있는가? | 호응 관계가 적절한 문장을 쓸 수 있는가? |

문법 대표 유형 **①**

문장·담화

어법에 맞는 문장을 적절하게 쓸 수 있는지, 상황에 알맞은 종류의 문장을 사용할 수 있는지 평가하는 유형

1 ☐ㄱ 에 들어갈 **알맞은 문장은?** ···················· ( )

> 건우: 안녕? 지현아. 나는 오늘 전학 온 건우라고 해.
> 지현: 건우야, 반갑다. ┃ ㉠ ┃
> 건우: 그래, 친하게 지내자. 그런데 나 궁금한 게 있어.
> 지현: 말해 봐. 내가 알려 줄게.
> 건우: ┃ ㉡ ┃
> 지현: 2층 과학실 옆에 있어. 내가 같이 가 줄까?
> 건우: 그래, 고마워.

① 안녕. 잘 가.
② 넌 이름이 뭐니?
③ 앞으로 친하게 지내자.
④ 내 이름을 어떻게 알았지…….
⑤ 우리 학교에 온 느낌이 어떤가요?

상황에 알맞은 문장 찾기

1 문제 파악하기
대화 상황에 적절한 문장을 찾는 문제

2 대화의 내용 파악하기
오늘 전학 온 건우가 지현이에게 인사를 하며 물어볼 것이 있다고 함.

3 문제 해결하기
'건우야, 반갑다.' 다음에 이어질 말로 알맞은 문장이어야 함.

2 문제 **1**의 대화 에서 ☐㉡ 에 들어갈 **알맞은 문장은?** ············ ( )

① 너는 키가 참 크구나!
② 도서실은 어디에 있니?
③ 과학실에 같이 가 줄까?
④ 우리 같이 자전거를 탈래?
⑤ 전학을 와서 모르는 게 많아.

알맞은 종류의 문장 찾기

1 앞뒤의 내용 살펴보기
앞: 내가 알려 줄게.
뒤: 2층 과학실 옆에 있어.

2 문제 해결하기
지현이의 대답을 보면 건우가 무엇인가를 묻는 문장이어야 합니다.

3 ㉮~㉰를 이어서 문장을 만들려고 합니다. **알맞은 순서로 늘어놓은 것은?**
··· ( )

> 이 책은 ㉮ 내가 ㉯ 선물이다. ㉰ 주는

① ㉮ ㅡ ㉯ ㅡ ㉰
② ㉰ ㅡ ㉮ ㅡ ㉯
③ ㉯ ㅡ ㉰ ㅡ ㉮
④ ㉯ ㅡ ㉮ ㅡ ㉰
⑤ ㉮ ㅡ ㉰ ㅡ ㉯

알맞은 문장 완성하기

● '선물이다.' 부분이 문장의 마지막 부분에 해당합니다.

발음·표기·규범

낱말의 알맞은 발음, 낱말의 정확한 표기, 올바른 높임 표현, 알맞은 문장 부호 사용 등을 평가하는 유형

4 ㉠과 ㉡을 바르게 고친 것끼리 모은 것은? ·············· ( )

> 토끼는 용왕님의 병이 ㉠낳지 않아서 걱정하고 ㉡있어다.

① ㉠ 낳지 ㉡ 있었다
② ㉠ 낳지 ㉡ 이썼다
③ ㉠ 낳지 ㉡ 있썼다
④ ㉠ 낫지 ㉡ 있었다
⑤ ㉠ 낫지 ㉡ 이썼다

맞춤법에 맞게 쓰기

1 문제 파악하기

잘못 쓴 낱말을 바르게 고칠 수 있는지 묻는 문제

2 '낳다'와 '낫다' 구분하기

- 낳다: 배 속의 알이나 새끼를 내놓다.
- 낫다: 병이나 상처가 고쳐지다.

5 밑줄 친 낱말을 바르게 고쳐 쓴 것끼리 모은 것은? ·············· ( )

> 언덕 위에 서서 아래를 가리켠따. 동생이 쪼차오는 모습이 너무 귀여웠다.

① 가르켰다 – 쫓차오는
② 가리켰다 – 쫓아오는
③ 가르켰다 – 쫓아오는
④ 가리켰다 – 쫓차오는
⑤ 가리켠다 – 쫓차오는

맞춤법에 맞게 고쳐 쓰기

1 '가리켠따'에서 틀린 부분

- '켜'의 받침
- '따'의 표기

2 '쪼차오는'에서 틀린 부분

- '쪼'의 받침
- '차'의 표기

6 밑줄 친 낱말을 바르게 사용한 문장은? ·············· ( )

① 주름진 옷은 다리미로 달이면 잘 펴져.
② 학교 맞히고 나랑 같이 축구 하러 가자.
③ 오이가 잘 자라려면 걸음을 주는 게 좋아.
④ 올해는 반듯이 편식하는 습관을 고칠 거야.
⑤ 우리 반 약속을 학급 게시판에 붙이고 싶어.

헷갈리는 낱말 구별하기

- 달이다: 액체를 끓여서 진하게 하다.
- 다리다: 다리미로 판판하게 펴다.
- 맞히다: 답을 맞게 하다.
- 마치다: 일을 끝나게 하다.
- 걸음: 두 발을 번갈아 움직이는 것.
- 거름: 식물이 잘 자라도록 땅에 뿌리는 것.

7 밑줄 그은 진호의 말을 알맞게 고친 것은? ⋯⋯⋯⋯⋯⋯⋯⋯⋯⋯⋯⋯⋯ (   )

알맞은 높임 표현 쓰기

● '주다'를 높임 표현으로 바꾸려면 '–시–'를 넣어, '주시다'로 만들어야 합니다.

> 진호가 컴퓨터로 온라인 수업을 듣고 있었습니다.
>
> 선생님: 진호야, 반갑구나. 선생님 잘 보여? 목소리도 잘 들리고?
> 진호: 네, 잘 보이고 잘 들려요.
> 선생님: 진호 연필이 예쁘구나. 누구한테 받은 거니?
> 진호: 할머니가 <u>주었어요.</u>

① 할머니가 주셨어요.
② 할머니께 주셔써요.
③ 할머니께 주셨어요.
④ 할머니께서 주셔써요.
⑤ 할머니께서 주셨어요.

8 밑줄 친 낱말을 바르게 소리 내어 읽은 것끼리 모은 것은? ⋯⋯⋯⋯ (   )

알맞은 발음 구별하기

● '맑은'의 겹받침 'ㄹㄱ'은 뒤에 나오는 글자가 'ㅇ'으로 시작하면, 'ㄹㄱ'의 'ㄱ'이 뒤로 넘어가서 소리납니다.

> <u>맑은</u> 하늘에 구름이 <u>높이</u> 떠 있습니다.

① [막은] – [놉이]
② [말은] – [노비]
③ [말근] – [노피]
④ [막근] – [놉비]
⑤ [말근] – [노퓌]

9 다음 중 문장 부호를 알맞게 쓰지 <u>못한</u> 문장은? ⋯⋯⋯⋯⋯⋯⋯⋯⋯ (   )

① 선생님, 안녕히 계세요.
② 오늘 날씨가 정말 맑구나!
③ 이 문제 어떻게 푸는지 알아?
④ 내 생일날 우리 집에 놀러 와 주겠니,
⑤ 엄마가 만들어 주신 된장찌개가 제일 좋아요!

문장 부호 바르게 사용하기

마침표	풀이하는 문장에 씀.
물음표	묻는 문장에 씀.
느낌표	감탄을 나타내는 문장에 씀.
쉼표	부르는 말 다음에 씀.

● 영역별 출제 문항 수: 5~7문항 / 30문항

분류	평가 영역
지식	• 작품에 나타난 비유적 표현 알기 • 갈래별 특성과 구성 요소 알기 • 이야기의 전개 과정을 파악하기
수용과 생산	• 인물과 사건의 관계 파악하기 • 인물의 말이나 행동의 까닭 짐작하기 • 작품에 대한 생각과 느낌 비교하기 • 이어질 내용 상상하기

🔖 문학 작품의 특성

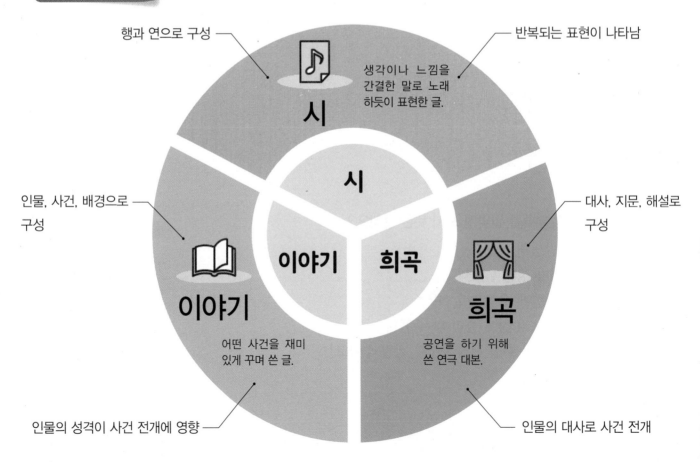

행과 연으로 구성

반복되는 표현이 나타남

생각이나 느낌을 간결한 말로 노래하듯이 표현한 글.

시

인물, 사건, 배경으로 구성

대사, 지문, 해설로 구성

이야기

희곡

이야기

어떤 사건을 재미있게 꾸며 쓴 글.

희곡

공연을 하기 위해 쓴 연극 대본.

인물의 성격이 사건 전개에 영향

인물의 대사로 사건 전개

(문학) 평가 영역은 시, 이야기, 희곡과 같은 다양한 문학 작품을 장르의 특성에 맞게 읽고 감상할 수 있는지 평가하기 위한 영역입니다.

문학 작품을 감상한다는 것은 정보의 습득을 목적으로 하는 읽기와는 달리, 읽는 이의 생각과 가치에 따라 작품의 의미를 보다 폭넓게 이해하고 작품이 주는 분위기와 정서를 마음에 받아들이는 활동입니다.

이 영역에서는 작품의 종류에 따라 작품을 감상하는 방법을 이해하고 작품이 주는 감동을 적절하게 수용할 수 있는지를 평가하게 됩니다. 특히 초등 2학년 (문학) 평가 영역에서는 **시의 표현을 이해할 수 있는지, 이야기의 구성 요소를 파악하고 인물과 사건의 관계를 이해할 수 있는지**를 주로 평가합니다.

📖 대표 질문 유형

인물의 성격으로 알맞은 것은?

이야기가 일어나는 장소는?

인물이 밑줄 친 부분과 같이 행동한 까닭은?

인물의 마음은 알맞게 짐작한 것은?

이 이야기에 나오는 인물이 아닌 것은?

📖 주요 평가 요소

작품에 나타난 표현의 특성을 이해할 수 있는가?

작품의 내용을 맥락과 관련지어 이해할 수 있는가?

갈래의 특성에 따른 구성 요소를 알고 있는가?

작품에 대한 생각이나 느낌을 표현할 수 있는가?

작품의 주요 내용을 파악할 수 있는가?

지식

문학 작품의 갈래 특성이나 사용된 표현 방법, 구성 요소 등을 파악할 수 있는지 평가하는 유형

1 시에 나타난 표현을 느낄 수 있는 부분을 그림으로 나타냈습니다. 2연에서 표현한 것은? ·· (　)

귤 한 개

박경용

귤
한 개가
방을 가득 채운다.

짜릿하고 향깃한
냄새로
물들이고,

양지짝의 화안한
빛으로
물들이고

㉠

물들이고,

귤
한 개가
방보다 크다.

『귤 한 개』, 아동문예사

① 귤의 맛　　　　② 귤의 빛깔
③ 귤의 향기　　　④ 귤의 크기
⑤ 귤을 사 온 사람

시에 쓰인 표현 알기

1 문제 파악하기
시에 쓰인 표현이 나타내는 점을 묻는 문제

2 시의 내용 파악하기
시에 나타난 감각적 표현
→ 귤의 냄새, 귤의 빛깔, 귤의 맛을 생생하게 나타냄.

3 문제 해결하기
2연에 나타난 표현과 그림을 보고 어떤 것이 잘 드러나는지 떠올려야 함.

2 문제 **1**의 시 에서 그림과 관련하여 ㉠ 에 들어갈 표현으로 알맞은 것은? ·· (　)

① 은은한 꽃
　냄새로

② 토도독 터지는
　소리로

③ 둥글둥글 어여쁜
　얼굴로

④ 사르르 군침 도는
　맛으로

⑤ 맨질맨질 촉촉한
　감촉으로

시에 쓰인 표현 알기

1 문제 파악하기
감각적 표현을 구별할 수 있는지 묻는 문제

2 문제 해결하기
입을 통해 느낄 수 있는 감각을 떠올리고 그와 관련된 표현을 찾아야 함.

수용과 생산

문학 작품을 비판적·창의적으로 감상하고 표현할 수 있는지, 작품에 대한 여러 사람의 생각과 느낌을 비교할 수 있는지 평가하는 유형

3 **가** ~ **다**에서 수민이의 마음을 알맞게 나타낸 것은?·············(   )

가 "도대체 시끄러워서 살 수가 있어야 말이지. 애들 좀 조용히 시켜요."
아래층 아줌마가 뛰어 올라와 한바탕 소리를 내지르고 돌아갔습니다.
"너, 엄마가 뭐랬어? 뛰지 말랬지?"
엄마의 야단을 뒤로하고 수민이는 밖으로 나왔습니다.
비가 추적추적 내리고 있었습니다.

나 수민이는 살금살금 층계를 내려갔습니다. 아래 층계참에 낯선 아이 셋이 옹기종기 모여 있었습니다.
통통한 애. 기다란 애. 작달막한 애. / 아이들은 뭐가 그리 재미있는지 머리를 맞대고 자기네끼리만 킬킬대고 있었습니다.

다 "안녕? 나는 수민이야. 집 안에서 쿵쾅댄다고 쫓겨났다."
"뭐야? 정말이야?"
쿵쿵이, 정중이, 총총이의 입이 쟁반만 하게 벌어졌습니다.
"난 사뿐사뿐 걸어도 쿵쾅댄다고 쫓겨났는데."
"난 우아하게 걷는데 정중댄다고 쫓겨났어."
"난 다리가 짧아서 빨리 걸으려고 한 것뿐인데 뛰어다닌다고 쫓겨났지."
"뭐야? 그럼 우리는 모두 쫓겨난 거잖아."

임정자, 『어두운 계단에서 도깨비가』

	글 **가**		글 **나**		글 **다**
①	귀찮은 마음	→	기쁜 마음	→	속상한 마음
②	속상한 마음	→	반가운 마음	→	샘나는 마음
③	반가운 마음	→	궁금한 마음	→	속상한 마음
④	속상한 마음	→	궁금한 마음	→	반가운 마음
⑤	무서운 마음	→	속상한 마음	→	기쁜 마음

4 문제 **3**의 이야기에서 글 **다**에 이어질 이야기를 꾸밀 때에 생각할 점으로 알맞지 않은 것은?·············(   )

① 아이들이 어떤 마음일지 생각해 본다.
② 아이들이 공부할 수 있는 방법을 생각해 본다.
③ 아이들이 왜 집 밖으로 쫓겨났는지 생각해 본다.
④ 아이들이 가장 하고 싶은 일이 무엇일지 생각해 본다.
⑤ 아이들이 있는 장소에서 할 수 있는 일을 생각해 본다.

인물의 마음 파악하기

1 문제 파악하기

이야기에서 일어난 일을 살펴보고 인물의 마음을 짐작하는 문제

2 이야기의 내용 파악하기

이야기에서 일어난 사건

- 글 **가** – 수민이가 집에서 뛴다며 꾸중을 듣고 나옴.
- 글 **나** – 층계참에서 낯선 아이 셋과 만남.
- 글 **다** – 수민이는 다른 아이들도 쿵쿵 뛰는 바람에 꾸중을 들었다는 말을 들음.

3 문제 해결하기

수민이가 글 **가**~**다**에서 겪은 일을 살펴보고 어떤 마음이 들었을지 짐작해 봅니다.

이야기 꾸며 쓰기

1 문제 파악하기

이야기의 뒷부분을 꾸며 쓰는 방법을 묻는 문제

2 이야기를 꾸밀 때에 떠올릴 점

- 이야기에서 어떤 일이 일어났는지, 인물의 마음은 어떠할지 생각합니다.
- 이야기가 일어나는 장소와 인물의 특성에 어울리는 일을 생각해 봅니다.

● **영역별 출제 문항 수:** 3~4문항 / 30문항

분류	평가 영역
개념	• 뜻이 여러 가지인 낱말 파악하기 • 두 가지 이상의 관련된 의미로 쓰이는 낱말 찾기
관계	• 여러 문장 속에서 같은 뜻으로 사용된 낱말 찾기 • 반의, 유의 관계 알기
의미	• 낱말의 뜻 파악하기 • 상황에 맞는 속담 표현 찾기 • 문맥을 고려하여 바꾸어 쓸 수 있는 낱말 찾기
확장	• 여러 낱말 중에서 같은 방법으로 만든 낱말 찾기 • 낱말이 만들어진 방법 파악하기

여러 가지 어휘 관계

유의 관계

반의 관계

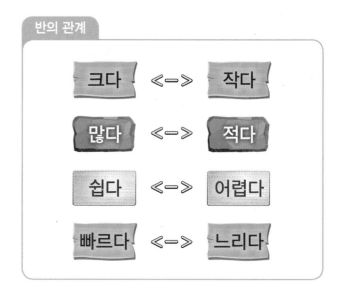

포함 관계

평가의 목적

어휘 평가 영역은 우리말의 기초가 되는 국어 낱말의 이해·활용 능력을 평가하기 위한 영역입니다.

어휘 는 듣기, 말하기, 읽기, 쓰기 등 모든 국어 활동의 바탕입니다. 일상에서 반복적으로 사용하며 저절로 습득하게 되는 어휘와 읽기를 통해 지식적으로 배우게 되는 어휘가 어휘력의 기초를 이룹니다.

이 평가 영역에서는 이러한 어휘의 의미를 어휘의 관계 속에서 정확하게 이해하고 구사할 수 있는지 평가하게 됩니다. 특히 초등 2학년 어휘 영역에서는 **소리는 비슷하지만 뜻이 다른 낱말을 정확하게 구별하여 사용할 수 있는지, 문맥을 고려하여 어휘의 의미를 짐작하고 이를 적절하게 사용할 수 있는지**를 주로 평가합니다.

대표 질문 유형

꾸며 주는 말이 들어간 문장은?

흉내 내는 말이 들어간 문장은?

밑줄 친 낱말의 쓰임이 알맞지 않은 것은?

낱말의 관계가 서로 다른 하나는?

밑줄 친 낱말의 뜻을 알맞게 나타낸 것은?

주요 평가 요소

표현하고자 하는 의미를 적절한 낱말로 나타낼 수 있는가?

낱말의 정확한 뜻을 이해하고 있는가?

낱말의 여러 가지 의미를 구분할 수 있는가?

특정한 역할을 하는 낱말의 개념을 알고 있는가?

여러 낱말 사이의 관계를 파악할 수 있는가?

개념

'꾸며 주는 말'이나 '흉내 내는 말' 등의 특정한 역할을 하는 어휘에 대한 개념을 이해하고 있는지 평가하는 유형

1 | 보기 |와 같이 **꾸며 주는 말이 들어가지 않은** 문장은? ·············· (　　)

┤ 보기 ├

향긋한 꽃향기를 맡아 보세요.

① 친구와 공부했습니다.
② 맛있는 볶음밥을 먹었습니다.
③ 귀여운 다람쥐가 뛰어갑니다.
④ 노란 참외가 맛있게 익었습니다.
⑤ 빨간 사과가 주렁주렁 열렸습니다.

꾸며 주는 말 찾기

1 문제 파악하기

문장에서 꾸며 주는 말을 구분할 수 있는지 묻는 문제

2 꾸며 주는 말의 예

- 맛있는 볶음밥
- 귀여운 다람쥐
- 노란 참외

2 | 보기 |와 같이 **흉내 내는 말이 들어가지 않은** 문장은? ·············· (　　)

┤ 보기 ├

된장찌개가 보글보글 끓고 있습니다.

① 비가 주룩주룩 내립니다.
② 자전거가 쌩쌩 달립니다.
③ 만두를 맛있게 구웠습니다.
④ 버스가 부르릉 출발합니다.
⑤ 오리가 뒤뚱뒤뚱 걸어갑니다.

흉내 내는 말 찾기

- 주룩주룩: 굵은 비가 내리는 소리나 모양을 흉내 내는 말
- 뒤뚱뒤뚱: 가볍게 이리저리 기울어지며 자꾸 흔들리는 모양을 흉내내는 말

3 밑줄 친 낱말의 쓰임이 **알맞지 않은** 것은? ·············· (　　)

① 참새가 짹짹 지저겁니다.
② 송아지가 음매 하고 부릅니다.
③ 고양이가 야옹야옹 인사합니다.
④ 강아지가 밥 달라고 꿀꿀 짖습니다.
⑤ 호랑이가 어흥 소리를 내자 사람들이 놀랍니다.

흉내 내는 말 활용하기

● 흉내 내는 말의 뜻 알아보기

- 짹짹: 참새가 우는 소리를 흉내 내는 말.
- 음매: 소나 송아지의 울음소리를 흉내 내는 말.
- 어흥: 호랑이가 우는 소리를 흉내 내는 말.

관계

상의어와 하의어의 관계를 파악할 수 있는지, 서로 반대되는 뜻을 가진 어휘 등의 관계를 이해하는지 평가하는 유형

4 | 보기 |와 같이 문장 만들기 놀이를 할 때, 빈칸에 들어갈 낱말로 알맞은 것은? ·· (   )

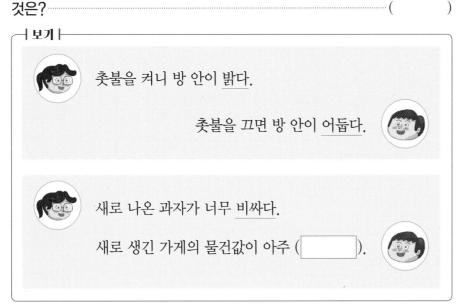

| 보기 |

촛불을 켜니 방 안이 <u>밝다</u>.

촛불을 끄면 방 안이 <u>어둡다</u>.

새로 나온 과자가 너무 <u>비싸다</u>.

새로 생긴 가게의 물건값이 아주 (   ).

① 높다   ② 싸다   ③ 무겁다
④ 가볍다   ⑤ 고가이다

반의 관계의 낱말 알기

1 문제 파악하기

서로 반대되는 뜻을 가진 낱말을 사용하여 문장을 만드는 문제

2 문제 해결하기

'비싸다'와 뜻이 서로 반대인 낱말을 생각해 봅니다.

---

5 | 보기 |와 비슷한 관계의 낱말을 모은 것은? ················ (   )

| 보기 |

과일: 사과, 배, 귤, 포도, 자두

① 라면: 면, 수프, 봉지
② 자동차: 전기, 휘발유, 경유
③ 도형: 삼각형, 사각형, 오각형, 원
④ 동물원: 코끼리, 사자, 늑대, 하마
⑤ 학교: 친구, 선생님, 보건 선생님

포함 관계의 낱말 알기

● 포함하거나 포함되는 관계의 낱말

---

6 밑줄 친 두 낱말의 관계가 서로 다른 하나는? ················ (   )

① 형은 키가 <u>크고</u> 나는 키가 <u>작다</u>.
② 내 가방은 <u>가벼운데</u> 아버지 가방은 <u>무겁다</u>.
③ 누나는 기분이 <u>좋은데</u>, 형은 기분이 <u>나쁜</u> 것 같다.
④ 탕수육은 아주 <u>바삭바삭하고</u>, 짜장면도 정말 <u>맛있다</u>.
⑤ 지난번엔 점수가 <u>낮았다</u>. 이번에는 왠지 <u>높을</u> 것 같다.

낱말 사이의 관계 알기

• 크다 ↔ 작다
  서로 뜻이 반대인 낱말임.
• 가볍다 ↔ 무겁다
  서로 뜻이 반대인 낱말임
• 낮다 ↔ 높다
  서로 뜻이 반대인 낱말임.

의미·확장

어휘의 사전적인 뜻뿐만 아니라, 문맥상의 뜻까지 이해하고 있는지 평가하는 유형

7 ㉠, ㉡과 **비슷한 뜻을 가진 낱말**을 바르게 찾은 것은? ·············· (　　　)

> 예로부터 전해져 오는 짧은 말을 '속담'이라고 합니다.
> 속담은 ㉠교훈을 담고 있습니다. '티끌 모아 태산'이라는 말을 들어 본 적이 있나요? 본래 '티끌'은 작은 먼지를 말하고, '태산'은 큰 산을 뜻합니다. 이 속담은 티끌처럼 작은 것도 모으고 모으면 태산처럼 큰 것을 만들 수 있다는 가르침을 담고 있습니다.
> 또, 속담에는 조상의 지혜가 담겨 있습니다. 그래서 속담을 넣어 말하면 내 생각을 좀 더 쉽고 분명하게 전할 수 있습니다. 그렇기 때문에 지금도 많은 사람이 속담을 ㉡사용합니다.

① ㉠ 사람　㉡ 합니다
② ㉠ 느낌　㉡ 씁니다
③ ㉠ 시간　㉡ 씁니다
④ ㉠ 가르침　㉡ 씁니다
⑤ ㉠ 가르침　㉡ 뜻합니다

낱말의 뜻 파악하기

1 문제 파악하기

문장이나 글에서 해당 낱말이 어떤 의미로 쓰였는지 묻는 문제

2 바꾸어 쓸 수 있는 말

• 교훈 – 지식, 깨달음
• 사용합니다 – 이용합니다, 활용합니다.

8 ㉠~㉣에 들어갈 낱말을 알맞게 모은 것은 어느 것은? ·············· (　　　)

┌─── ㉠ ───┐ : 서로 같지 않다.	┌─── ㉡ ───┐ : 계산이나 사실이
예 이 자전거와 저 자전거는 색깔이 ┌─ ㉠ ─┐.	맞지 않다. 예 문제의 답을 ┌─ ㉡ ─┐.
┌─── ㉢ ───┐ : 가졌던 물건이 자신도 모르게 없어지다.	┌─── ㉣ ───┐ : 기억이나 생각이 머릿속에서 지워지다.
예 가방을 ┌─ ㉢ ─┐.	예 약속을 ┌─ ㉣ ─┐.

① ㉠: 틀리다　㉡: 다르다　㉢: 잊어버리다　㉣: 잃어버리다
② ㉠: 틀리다　㉡: 다르다　㉢: 잃어버리다　㉣: 잊어버리다
③ ㉠: 다르다　㉡: 틀리다　㉢: 잃어버리다　㉣: 잊어버리다
④ ㉠: 다르다　㉡: 틀리다　㉢: 잊어버리다　㉣: 잃어버리다
⑤ ㉠: 틀리다　㉡: 틀리다　㉢: 잊어버리다　㉣: 잊어버리다

헷갈리는 낱말 구별하기

● 낱말을 바르게 고쳐 쓰기

• 너와 나는 생각이 틀려. (×)
　→ 생각이 달라 (○)
• 지우개를 잊어버려서 연필로 쓴 부분을 못 지웠다. (×)
　→ 지우개를 잃어버려서 (○)
• 배운 내용을 잃어버려서 문제의 답을 틀렸다. (×)
　→ 배운 내용을 잊어버려서 (○)

HME 국어 학력평가

실전
모의고사

- 〈HME 국어 학력평가〉 평가 영역 완벽 분석
- 〈HME 국어 학력평가〉 대표 유형 중심 반영
- 〈HME 국어 학력평가〉 다양한 출제 유형 제시

1회

2회

3회

4회

실전 모의고사 1회

점수

[01~02] 다음 발표를 보고 물음에 답하시오.

> 안녕하세요? 제 이름은 강하늘입니다.
> 사는 곳은 ○○아파트이고요. 엄마, 아빠, 형과 함께 삽니다.
> 저는 집에 가면 손부터 깨끗이 씻습니다. 그래야 병에 걸리지 않기 때문입니다.
> 손을 씻고 나면 숙제를 하고 강아지와 함께 놉니다.
> 저녁에는 엄마, 아빠, 형 모두와 밥을 먹습니다.

01 강하늘 어린이가 발표한 내용으로 알맞지 <u>않은</u> 것은? ·············(   )

① ○○아파트에 산다.
② 엄마, 아빠, 형과 함께 산다.
③ 숙제를 하기 전에 손을 씻는다.
④ 숙제를 하고 나면 간식을 먹는다.
⑤ 숙제를 하고 강아지와 함께 논다.

02 이와 같은 발표를 할 때에 알맞은 목소리나 몸짓이 <u>아닌</u> 것은? ·············(   )

① 똑바로 선다.
② 듣는 사람을 바라본다.
③ 나만 들리는 목소리를 낸다.
④ 적당한 빠르기로 말을 한다.
⑤ 모두가 들을 수 있는 목소리를 낸다.

03 ☐에 들어갈 흉내 내는 말로 가장 잘 어울리는 것은? ·················· (   )

> 아주 더운 여름날이었어요.
> 아침부터 ☐☐☐☐ 비가 내렸어요.
> 점심을 먹고 나니 비가 그쳤어요.
> 비가 그친 하늘에는 무지개가 떴어요.
> 커다란 무지개는 동네 어디를 가도 나를 따라왔어요.

① 뾰족뾰족
② 부슬부슬
③ 무럭무럭
④ 부들부들
⑤ 철썩철썩

04 높임 표현을 잘못 사용한 친구는 누구입니까? ····················· (   )

> 우식: 나는 어제 할머니 댁에 다녀왔어.
> 소담: 그러니? 나도 우리 할아버지 뵙고 싶다.
> 다미: 소담이네 할아버지는 어디에 사는데?
> 서준: 지난번에 들었는데, 미국에 계셔서 자주 못 뵌다고 하더라.
> 정민: 소담이는 할아버지 뵈려면 멀리 가야 하는구나.

① 우식
② 소담
③ 다미
④ 서준
⑤ 정민

05 현수에게 고칠 점을 알맞게 말한 것은? ·································· (   )

① 미소를 지으며 말해야 한다.
② 알맞은 몸짓을 하면서 말해야 한다.
③ 큰 목소리로 잘 들리게 말해야 한다.
④ 자신의 기분만 생각하며 말해야 한다.
⑤ 듣는 사람의 기분을 생각하며 말해야 한다.

[06~07] 다음 안내문을 보고 물음에 답하시오.

꼭! 지켜 주세요.

- ㉠음료, 과자, 껌 등의 음식물은 자료실에서 드시지 말아 주세요.

- 휴대 전화 알림음을 무음이나 진동으로 해 주세요.

- ㉡휴대 전화로 통화를 하실 때에는 자료실 밖에서 이용해 주세요.

- 도서관 자료 이용 시 반드시 본인 대출증으로 이용해 주세요.

- ㉢도서관 내에서 큰 소리로 이야기하거나 뛰지 말아 주세요.

---

06 이 안내문이 있는 장소로 휴대 전화를 가지고 들어갈 때에 해야 할 행동은? (　　　)

① 문자가 왔는지 확인한다.

② 마음에 드는 벨 소리를 정한다.

③ 잃어버리지 않도록 손에 꼭 쥔다.

④ 도서관에 대한 정보를 검색해 본다.

⑤ 알림음이 진동으로 되어 있는지 확인한다.

07 ㉠~㉢과 같은 내용을 안내하는 까닭은? ·· (　　　)

① 도서관에 아무도 오지 않기 때문이다.

② 도서관에서는 떠들어도 되기 때문이다.

③ 도서관에는 쓰레기통이 없기 때문이다.

④ 아무도 규칙을 지키려고 하지 않기 때문이다.

⑤ 시끄러우면 다른 사람들이 불편을 겪을 수 있기 때문이다.

08 ㉠~㉤이 어떤 종류의 문장인지 잘못 연결한 것은? ······················ (   )

> ㉠ 아침에 일찍 일어났습니다.
> ㉡ 엄마, 내 모자 어디에 있어요?
> ㉢ 옷장 안에 넣어 두었으니 잘 살펴보렴.
> ㉣ 어서 아침을 먹고 학교에 가야겠습니다.
> ㉤ 엄마, 된장찌개가 너무 맛있어요!

① ㉠ – 풀이하는 문장
② ㉡ – 묻는 문장
③ ㉢ – 풀이하는 문장
④ ㉣ – 묻는 문장
⑤ ㉤ – 감탄을 나타내는 문장

09 문장 부호를 원고지에 바르게 쓰지 못한 것은? ······················ (   )

① “안녕하세요?”
② ‘얘가 누구더라?’
③ “학교에 다녀오겠습니다.”
④ “하늘이 정말 맑구나!”
⑤ ‘벌써 배가 고프네.’

10 ㉠과 ㉡에 들어갈 낱말끼리 알맞게 모은 것은? ⋯⋯⋯⋯⋯⋯⋯⋯⋯⋯⋯⋯ (   )

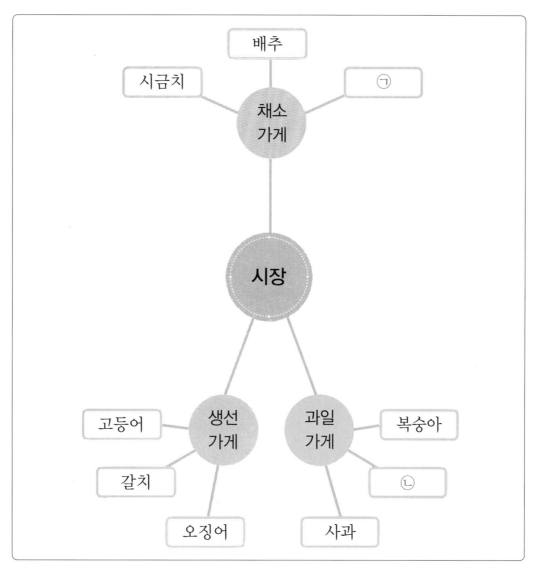

① 꽁치 – 참외
② 딸기 – 양파
③ 소고기 – 배추
④ 무 – 돼지고기
⑤ 마늘 – 배

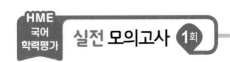

[11~12] 다음 글을 읽고 물음에 답하시오.

20○○년 4월 17일 월요일 　　　　　　　　　　　날씨: 해가 구름을 이긴 날

놀이터에서 만난 그늘

학교를 마치고 집으로 가는 길에 은찬이를 만났다.

"우리, 놀이터에 가서 같이 그네 탈래?"

"그래, 집에 가방만 두고 나올게. 이따가 놀이터에서 만나."

잠시 뒤에 은찬이가 왔다. 은찬이와 함께 그네를 타다가 시소도 탔다. 무척 재미있었지만 더웠다.

"우리, 그늘에 가서 잠깐 쉴까?"

"좋아. 여기에서 그늘까지 몇 걸음인지 세어 보자."

시소에서 그늘까지 은찬이와 나란히 숫자를 세며 걸었다. 나무 그늘에 가니 무척 시원했다. 날씨가 더울 때에는 시원한 곳에서 놀아야겠다.

11 이 글의 종류는? ──────────────────────── (　　)

① 시

② 일기

③ 이야기

④ 설명서

⑤ 안내문

12 글쓴이가 겪은 일이 <u>아닌</u> 것은? ──────────────── (　　)

① 은찬이와 그네를 탔다.

② 은찬이와 시소를 탔다.

③ 놀고 나서 더위를 느꼈다.

④ 은찬이와 미끄럼틀을 탔다.

⑤ 더워서 나무 그늘 아래로 갔다.

13

> 옛날 옛날 먼 옛날의 일입니다. 어느 날 아침, 소금 장수가 고개를 넘어가다가 굶주린 호랑이와 마주쳤습니다.
>
> "호랑이님, 한 번만 살려 주십시오."
>
> 호랑이는 들은 척도 하지 않고, 소금 장수를 통째로 삼켜 버렸습니다.
>
> "아, 배고파. 어디 더 먹을 것 없나?"
>
> 어스름한 저녁이 되자 기름 장수가 나타났습니다. 호랑이는 기름 장수도 한입에 삼켜 버렸습니다.
>
> 깜깜한 밤에 호랑이 배 속에서 소금 장수와 기름 장수가 만났습니다.
>
> "나는 기름 장수인데, 당신은 누구요?"
>
> "나는 소금 장수요. 여기서 어떻게 빠져나가지요?"
>
> "어유, 어두워. 먼저 불을 켜고 봅시다."
>
> 두 사람은 등잔불을 켜고 빠져나갈 궁리를 했습니다.
>
> 그때, 호랑이가 갑자기 벌떡 일어나는 바람에 그만 등잔이 엎어지며 등잔의 뜨거운 기름이 쏟아졌습니다. 깜짝 놀란 호랑이는 펄쩍펄쩍 뛰었습니다.
>
> "아이고, 뜨거워라. 아이고, 호랑이 죽네!"
>
> 호랑이가 날뛸수록 더 많은 기름이 쏟아져 배 속에 더 많은 불이 붙었습니다.
>
> 이튿날 아침이 되었습니다.
>
> 소금 장수와 기름 장수는 호랑이 배 속에서 잠이 깼습니다. 소금 장수의 가마니 뒤에 숨은 덕분에 둘은 데인 곳이 없었습니다.
>
> "그렇게 날뛰던 호랑이가 잠잠해진 것을 보면 ㉮ ."
>
> "배 속이 이렇게 많이 탔으니 죽을 만도 하지요."
>
> 두 사람은 호랑이 입을 열고 배 속에서 기어 나왔습니다.

① 죽은 모양이오

② 몹시 피곤한 것 같소

③ 불이 안 꺼진 모양이오

④ 이제는 착해진 것 같소

⑤ 아직 자고 있는 모양이오

[14~15] 다음 글을 읽고 물음에 답하시오.

민속 박물관에서 옛날 집 안의 모습을 보았습니다. 옛날에도 텔레비전, 라디오, 전화기가 있었습니다. 그런데 신기하게도 모양이나 사용 방법이 요즘에 우리가 보는 물건과 많이 달랐습니다. 옛날 집 안에 있는 물건을 같이 살펴볼까요?

옛날 텔레비전은 요즘 텔레비전과 많이 다릅니다. 옛날 텔레비전은 네모 상자 모양이고 화면이 작습니다. 화면은 평평하지 않고 가운데 부분이 볼록하게 튀어나와 있습니다. 그리고 다른 방송을 보려면 동그란 모양의 장치를 손으로 돌려야 합니다.

▲ 옛날 텔레비전

▲ 옛날 라디오

옛날 라디오는 요즘 라디오와 많이 다릅니다. 옛날 라디오는 텔레비전보다 작은 네모 상자 모양입니다. 동그란 장치가 있는 곳 옆에는 투명한 자처럼 생긴 것이 있고 그 안에 움직일 수 있는 빨간 선이 있습니다. 이 동그란 장치를 돌려서 빨간 선을 움직이면 듣고 싶은 방송을 들을 수 있습니다.

14 옛날 텔레비전의 특징으로 알맞지 **않은** 것은? ·········· ( )

① 방송을 볼 수 있는 화면이 작다.
② 방송을 보여 주는 화면이 평평하다.
③ 전체적인 모양이 네모 상자 모양이다.
④ 화면의 가운데 부분이 볼록하게 튀어나와 있다.
⑤ 다른 방송을 보려면 동그란 모양의 장치를 돌려야 한다.

15 옛날 라디오의 특징으로 알맞은 것은? ·········· ( )

① 옛날 텔레비전보다 크다.
② 세모로 된 기둥 모양이다.
③ 요즘 라디오와 다르게 화면도 볼 수 있다.
④ 전기를 연결하지 않아도 소리를 들을 수 있다.
⑤ 동그란 장치를 돌려서 빨간 선을 움직여야 듣고 싶은 방송을 들을 수 있다.

16 다음 이야기의 교훈을 알맞게 찾은 친구는? ······················· (   )

> 구름이 없는 화창한 날이었어요. 어느 날, 욕심 많은 개가 집으로 가는 길에 떨어진 고깃덩이를 보았어요. 개는 떨어진 고기를 얼른 입에 물고 신나게 걸어가고 있었어요. 개는 강가에 다다랐어요. 그리고 통나무로 된 다리를 건너게 되었어요. 통나무 다리를 건너다가 고기를 입에 물고 있는 다른 개 한 마리를 발견하고 깜짝 놀랐어요.
> '저 녀석! 커다란 고깃덩이를 물고 있군.'
> 개는 다른 개가 물고 있는 고기를 빼앗아야겠다는 생각을 했어요.
> 그래서 큰 고기를 물고 있는 개를 향해 크게 짖었어요.
> "멍멍. 멍멍."
> 개가 짖기 시작하자 입에 물고 있던 고기가
> 강물에 풍덩 빠지고 말았어요.

상우	"물건을 옮길 때에는 가방을 메야 합니다."
재현	"남이 가진 것과 비교하지 말아야 합니다."
민성	"고기는 제대로 익혀서 먹어야 합니다."
진규	"다리를 건널 때에는 앞만 보아야 합니다."
다혜	"지나친 욕심을 부리지 말아야 합니다."

① 다혜   ② 진규   ③ 민성   ④ 재현   ⑤ 상우

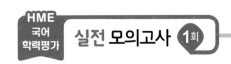

[17~18] 다음 글을 읽고 물음에 답하시오.

"말 한마디에 천 냥 빚도 갚는다."라는 속담도 있잖아. 말 중에는 다른 사람의 기분을 좋게 해 주는 특별한 말이 있어. 어떤 말이냐고? "부탁해요.", "고마워요.", "실례합니다.", "미안합니다."

이런 말을 들으면 기분이 좋아져. 하지만 "꺼져!", "까불지 마!" 같은 말들은 다른 사람의 마음을 상하게 하니까 쓰면 안 돼.

아마 너는 "안녕히 주무셨어요?", "안녕히 주무세요."라는 인사를 부모님께 하라고 배웠을 거야. 학교에서 돌아왔을 때나 친구네 집에 갔다 왔을 때 "ㅤㅤㅤㅤㅤㅤㅤㅤㅤㅤㅤㅤㅤㅤㅤㅤㅤㅤㅤㅤㅤㅤㅤ㉠ㅤㅤㅤㅤㅤㅤㅤㅤㅤㅤㅤㅤㅤㅤㅤㅤㅤㅤㅤㅤㅤㅤㅤ." 하고 인사하는 것도 멋져. 집에 와서 ㉡불쑥 "맛있는 거 줘."라는 말부터 하기 전에 "저 왔어요."라고 말해 보는 건 어때?

우리가 쓰는 말은 다른 사람의 마음을 기쁘게도 하고 아프게도 하는 힘이 있어. 다른 사람을 존중하는 마음을 가지고 나쁜 말 대신 고운 말만 쓰도록 노력해 봐.

『내가 도와줄게』, 테드 오닐·제니 오닐

17 ㉠에 들어갈 인사말을 알맞은 높임 표현으로 나타낸 것은? ㅤㅤㅤㅤㅤ(ㅤ)

① 다녀올게.
② 다녀왔어.
③ 다녀왔습니다.
④ 다녀오겠습니다.
⑤ 다녀와도 되겠습니까?

18 ㉡의 뜻으로 알맞은 것은? ㅤㅤㅤㅤㅤㅤㅤㅤㅤㅤㅤㅤㅤㅤㅤㅤ(ㅤ)

① 무엇인가를 갑자기 쑥 내미는 모양.
② 물체의 겉이 크게 튀어나오는 모양.
③ 무엇인가가 갑자기 쑥 나타나는 모양.
④ 앞뒤 생각 없이 대뜸 말을 함부로 하는 모양.
⑤ 갑자기 마음이 생기거나 생각이 떠오르는 모양.

19 글쓴이의 마음을 알 수 있는 문장은? ⸼⸼⸼⸼⸼⸼⸼⸼⸼⸼⸼⸼⸼⸼⸼⸼⸼⸼⸼⸼⸼⸼⸼⸼⸼⸼⸼⸼⸼⸼⸼⸼⸼⸼⸼⸼⸼ (   )

20○○년 6월 7일 수요일　　　　　　　　날씨: 채소가 자라기 좋은 날씨

학교 텃밭에서 생긴 일

수업이 끝나자마자 학교 뒤뜰에 있는 텃밭에 갔다. 텃밭에는 아기 상추들이 옹기종기 모여 자라고 있었다.

"어서어서 쑥쑥 자라라."

빈 우유갑에 물을 떠서 상추에 부어 주었다. 조금 있으니 축구공 하나가 텃밭으로 날아왔다. 뒤이어 상진이가 뛰어왔다. 상진이는 성큼성큼 텃밭으로 들어가 축구공을 꺼내 왔다.

상추 몇 포기가 상진이의 발에 밟히는 걸 보니 속이 상했다.

나는 상진이에게 말했다.

"상진아, 상추도 마음이 있다는 거 알아?"

상진이가 나를 빤히 보며 되물었다.

"무슨 마음?"

"지금 발이 있었으면 하는 마음. 발이 있었으면 벌써 달아났을걸."

상진이는 밟힌 상추를 보더니 멋쩍게 웃었다. 나는 상진이에게 긴 막대를 이용해서 공을 꺼내는 방법을 알려 주었다. 그리고 우유갑에 물을 더 떠다가 상추에 부어 주었다. 상진이도 미안했는지 옆에서 조금씩 거들었다. 상추가 건강하게 잘 자랐으면 좋겠다.

① 뒤이어 상진이가 뛰어왔다.
② 상진이가 나를 빤히 보며 되물었다.
③ 상추가 건강하게 잘 자랐으면 좋겠다.
④ 상진이는 밟힌 상추를 보더니 멋쩍게 웃었다.
⑤ 조금 있으니 축구공 하나가 텃밭으로 날아왔다.

[20~21] 다음 이야기를 읽고 물음에 답하시오.

> 장난감 마을에 세모, 네모, 동그라미 블록이 살고 있었어요.
>
> 세모는 늘 네모를 부러워했어요.
>
> "네모야, 넌 모서리가 넷이라서 참 좋겠다. 난 모서리가 셋뿐이라 늘 아쉬워⋯⋯."
>
> 세모의 말을 들은 네모는 이렇게 말했어요.
>
> "난 이 모서리가 너무 싫은걸? 동그라미야, 넌 참 좋겠다. 나도 너처럼 동글동글하면 소원이 없겠다."
>
> 이 말을 들은 동그라미가 갸웃거리며 대답했어요.
>
> "난 세모가 가장 부러운데. 세모의 날카로운 모서리가 너무 멋지지 않니?"
>
> 세모가 그 말을 듣고 자신을 다시 찬찬히 살펴봤어요. 그랬더니 동그라미 말대로 네모보다 뾰족한 자신의 모서리가 정말 멋져 보였어요.
>
> 그때, 네모와 동그라미도 거울 앞에 서서 곰곰이 생각했어요.
>
> '나한테는 세모보다 멋진 모서리가 더 많았구나⋯⋯.'
>
> '모서리가 하나도 없이 둥글둥글한 내 모습도 멋있는데?'
>
> 세모, 네모, 동그라미는 모두 자신이 가장 멋지다고 생각하게 됐어요.

20 이야기의 내용으로 알맞지 <u>않은</u> 것은? ──────────────── ( )

① 세모는 네모의 모서리가 넷이어서 부러웠다.

② 네모는 세모의 날카로운 모서리가 부러웠다.

③ 네모는 동그라미의 동글동글한 점이 부러웠다.

④ 동그라미는 세모의 날카로운 모서리가 부러웠다.

⑤ 장난감 마을에 세모, 네모, 동그라미 블록이 살고 있었다.

21 이 이야기에서 얻을 수 있는 교훈은? ──────────────── ( )

① 웃어른께 예의를 갖추자.

② 친구끼리 사이좋게 지내자.

③ 지나친 욕심을 부리지 말자.

④ 자신의 모습에 자신감을 가지자.

⑤ 오늘 할 일을 내일로 미루지 말자.

22 '나'의 마음 변화를 알맞게 나타낸 것은? ·············· (   )

아침에 밥을 먹으려는데 배가 아프고 속이 울렁거렸다.

"어머니, 배가 아파서 밥을 못 먹겠어요."

"많이 아프니? 어젯밤에 아이스크림을 먹고 자서 그런가 보다."

어머니께서는 걱정스러운 얼굴로 병원에 가자고 하셨다. 오늘은 짝을 바꾸는 날인데 학교에 못 가서 속상했다.

나는 어머니와 함께 오전 10시에 병원에 갔다. 의사 선생님께서 배에다 청진기를 대 보시더니 배탈이 났다고 하셨다.

나는 주사를 맞을까 봐 걱정이 되었다.

"선생님, 저, 주사 맞아야 해요?"

"주사는 안 맞아도 된단다. 대신 약을 먹어야 해."

의사 선생님은 약을 잘 먹어야 배탈이 빨리 낫는다고 하셨다.

집에 와서 점심때가 되어 죽을 조금 먹었다. 어머니께서는 튜브에 물약을 따라 주셨다. 약이 너무 써서 얼굴이 저절로 찌푸려졌다.

어머니께서는 약을 먹었으니 푹 쉬라고 하셨다. 낮잠을 자고 오후 3시에 일어나니 배가 아프지 않았다. 나는 밖에서 놀고 싶어졌다.

"어머니, 놀이터에 나가서 놀아도 돼요?"

어머니는 잠깐만 놀고 오라고 허락해 주셨다. 놀이터에서 우리 반 친구 여진이를 만났다.

"네가 안 나와서 자리는 내일 바꾸기로 했어."

여진이 말에 나는 기분이 좋아졌다. 우리는 그네를 타면서 신나게 놀았다. 학교에 빨리 가고 싶다.

① 밖에서 놀고 싶었는데 그러지 못해서 속상했다.

② 주사가 아플까 봐 걱정이 되었는데 별로 아프지 않아서 좋았다.

③ 배탈이 나서 슬펐다가 학교에 가지 않아도 되어서 기분이 좋아졌다.

④ 학교에 안 가도 되어서 기분이 좋았다가 병원에 가야 해서 무서웠다.

⑤ 학교에 가지 못해서 속상했다가 여진이의 말을 듣고 기분이 좋아졌다.

[23~24] 다음 시를 읽고 물음에 답하시오.

풀밭을 걸을 때

이화주

풀밭을 걸을 땐
발끝으로 걸어도
뒤꿈치로 걸어도
풀꽃에게 미안해

풀밭을 걸을 땐
내 발이
아기 새 발이면
참 좋겠다.

23 1연에서 풀꽃에 대한 '나'의 마음은? ·········· (   )
① 고맙다.
② 부럽다.
③ 귀엽다.
④ 미안하다.
⑤ 자랑스럽다.

24 이 시를 읽고 떠오르는 장면으로 가장 알맞은 것은? ·········· (   )
① 높은 건물이 많이 들어선 도시의 모습
② 아이가 풀밭에서 즐겁게 뛰어노는 모습
③ 산속에 울긋불긋 아름답게 단풍이 든 모습
④ 아주 맑은 바닷가에 상쾌한 바람이 부는 모습
⑤ 아이가 풀밭에서 발끝으로 조심스럽게 걷는 모습

『토끼와 자라』를 읽고

아침에 보성이가 『토끼와 자라』를 ㉠읽고 있었다. 깔깔 웃기도 하는 것을 보니 무척 재미있어 보였다. 그래서 나도 도서관에 가서 『토끼와 자라』 책을 빌려 ㉡읽었다.

자라는 용왕님의 병을 낫게 하려고 토끼의 간을 구하러 갔다. 토끼는 자라에게 속아 용궁으로 가게 되었다. 용궁에 도착해서야 자신이 자라에게 속은 것을 알았다. 토끼는 당황하지 않고 꾀를 내어 다시 육지로 돌아올 수 있었다.

책을 ㉢읽으며 자라의 말에 쉽게 속는 토끼의 모습이 안타까웠다. 하지만 토끼가 어려움을 이겨 내는 모습이 재미있었다. 　㉮

---

25 ㉠~㉢을 바르게 소리 내어 읽은 것끼리 모은 것은? ·········· (　　　)

	㉠	㉡	㉢

① [익고] – [익었다] – [이그며]

② [익꼬] – [익언따] – [익그며]

③ [일고] – [읽어따] – [일으며]

④ [일꼬] – [일걷따] – [일그며]

⑤ [일꼬] – [일거다] – [일끄며]

26 ┃보기┃의 (1)~(5)로 　㉮　에 들어갈 문장을 만들려고 합니다. 알맞은 순서로 늘어놓은 것은? ··········· (　　　)

┃보기┃
(1) 지혜로운　(2) 나도　(3) 사람이　(4) 토끼처럼　(5) 되고 싶다.

① (1) – (2) – (3) – (4) – (5)

② (1) – (2) – (4) – (3) – (5)

③ (2) – (1) – (3) – (4) – (5)

④ (2) – (4) – (1) – (3) – (5)

⑤ (3) – (1) – (2) – (4) – (5)

[27~28] 다음을 보고 물음에 답하시오.

---

❶ 우리 주변에서 다른 사람들에게 설명하고 싶은 물건을 떠올려 봅시다.

⬇

❷ 떠올린 물건 가운데에서 하나를 고르고 설명하고 싶은 까닭을 써 봅시다.

⬇

❸ 설명하고 싶은 물건에 대해 친구들이 궁금해할 내용을 떠올려 써 봅시다.

⬇

❹ 자신이 쓰고 싶은 글의 제목을 정해 봅시다.

글의 제목	㉠
설명하고 싶은 물건	부모님께 선물로 받은 코뿔소 인형
설명하고 싶은 까닭	놀이터에서 잃어버렸는데 다시 찾고 싶어서
물건의 특징	• 아기 코뿔소가 모자를 쓰고 있는 모습임. • 녹색 바탕에 갈색 점이 있는 옷을 입고 있음. • 아기 코뿔소의 뿔 부분은 몸보다 더 진한 회색임.

---

27 ❶~❹에 따라 쓸 내용을 표로 정리하였습니다. ㉠에 들어갈 내용으로 알맞은 것은?
.... (　)

① 아프리카의 보물　　　　② 코뿔소는 멋있어
③ 코뿔소 인형을 삽니다　　④ 코뿔소 인형을 팝니다
⑤ 잃어버린 인형을 찾습니다

28 위에서 정리한 내용을 바탕으로 글을 쓰려고 합니다. 글에 들어갈 내용으로 알맞지
않은 문장은? .... (　)

① 뿔 부분은 색이 더 진합니다.
② 내 코뿔소 인형을 꼭 찾고 싶어!
③ 갈색 점이 있는 녹색 옷을 입고 있습니다.
④ 코뿔소 인형을 놀이터에서 잃어버렸습니다.
⑤ 아기 코뿔소가 모자를 쓰고 있는 모습입니다.

29 다음 쪽지 중, 밑줄 친 낱말의 쓰임이 알맞은 것은? ⸺⸺⸺⸺⸺(   )

① 형과 함께 우체국에 가서 <u>택배를 붙였습니다.</u>

② 시간이 지나서 엘리베이터 문이 자동으로 <u>다쳤습니다.</u>

③ 어제 친구가 낸 수수께끼의 답을 <u>맞혔습니다.</u>

④ 장난감 로봇에 떨어진 다리를 <u>부쳤습니다.</u>

⑤ 친구와 장난을 치다가 넘어져 <u>달혔습니다.</u>

30 |보기|와 같이 흉내 내는 말을 넣어 문장을 알맞게 만든 것은? ⸺⸺⸺(   )

┤보기├
나비가 날아갑니다. ➡ 나비가 훨훨 날아갑니다.

① 비가 내립니다. ➡ 비가 꿀꺽 내립니다.
② 바람이 붑니다. ➡ 바람이 줄줄 붑니다.
③ 공이 굴러갑니다. ➡ 공이 데굴데굴 굴러갑니다.
④ 파도가 칩니다. ➡ 파도가 어슬렁어슬렁 칩니다.
⑤ 새가 지저귑니다. ➡ 새가 다른 새와 함께 지저귑니다.

실전 모의고사 2회

[01~02] 다음을 보고 물음에 답하시오.

01 다솜 어린이가 그림 **가**와 **나**에서 하고 싶은 말은? ·····················( )

① **가** 쓰레기가 왜 생기는지 모르겠다.
　나 도서관이 어디인지 알고 싶다.

② **가** 쓰레기를 함부로 버리면 안 된다.
　나 도서관에서는 조용히 해야 한다.

③ **가** 쓰레기에서 냄새가 날 수도 있다.
　나 나도 함께 이야기를 나누고 싶다.

④ **가** 운동장에서 과자를 먹으면 안 된다.
　나 무슨 이야기를 하고 있는지 궁금하다.

⑤ **가** 나에게도 과자를 좀 나누어 줬으면 좋겠다.
　나 책을 정리하는 소리가 너무 커서 불편하다.

02 ㉠을 듣는 사람의 기분이 상하지 않도록 알맞게 고친 것은? ·····················( )

① 밖에 나가서 떠들어.
② 너희들 선생님께 이른다.
③ 아이고 시끄러워서 책을 못 고르겠네!
④ 야, 도서관에서 조용히 해야 하는 것도 모르니?
⑤ 얘들아, 다른 사람을 위해 조금 목소리를 작게 하자.

03 다음과 같은 뜻을 가진 토박이말은? ( )

> 해가 서쪽으로 넘어가는 때

볼가심

태연이가 이를 닦고 난 뒤에 볼가심을 하고 있다.

미리내

밤하늘에 보이는 미리내는 정말 아름답다.

으뜸

현지는 우리 반에서 봉사 활동을 하는 데 으뜸이다.

마루

구름이 뒷산 마루에 걸려 있다.

해거름

밖에서 놀더라도 해거름 안에는 집에 와야 한다.

① 볼가심 ② 미리내 ③ 으뜸 ④ 마루 ⑤ 해거름

04 빈칸에 들어갈 낱말을 알맞게 모은 것은? ( )

[㉠]: 문제의 답을 맞게 하다. 예 수수께끼의 답을 [㉠].	[㉡]: 어떤 일이 끝나다. 예 체육 대회를 [㉡].
[㉢]: 농사지을 때 식물이 잘 자라라고 흙에 넣어 주는 것. 예 밭에 [㉢]을 주었다.	[㉣]: 두 발을 번갈아 옮기며 앞으로 움직이는 동작. 예 동생은 [㉣]걸이가 느리다.

① ㉠: 맞치다 ㉡: 맞히다 ㉢: 걸음 ㉣: 거름
② ㉠: 맞히다 ㉡: 마치다 ㉢: 거름 ㉣: 걸음
③ ㉠: 마치다 ㉡: 맞치다 ㉢: 거름 ㉣: 걸름
④ ㉠: 맞히다 ㉡: 맞추다 ㉢: 걸음 ㉣: 걸름
⑤ ㉠: 맞추다 ㉡: 마치다 ㉢: 걸음 ㉣: 걸음

05 영우가 한 발표에 대한 설명으로 알맞지 <u>않은</u> 것은? ·································· (   )

① 알맞은 크기의 목소리로 말하였다.

② 또박또박 알아듣기 쉽게 발표하였다.

③ 듣는 사람들을 바라보지 않고 발표하였다.

④ 책을 보며 말할 내용을 미리 생각해 보았다.

⑤ 자신의 꿈이 수의사가 되는 것이라고 하였다.

[06~07] 다음 글을 보고 물음에 답하시오.

> 몇 년 새 미세 먼지가 심각한 문제로 떠올랐어요. 2017년 3월에는 세계적인 과학 학술지 「네이처」에서 미세 먼지로 우리나라와 일본에서 매년 3만여 명이 목숨을 잃는다는 연구 결과를 발표하기도 했지요. 미세 먼지의 피해를 막기 위해 마스크를 쓰거나 공기 청정기를 사용하는 것 말고는 다른 해결책이 없는 걸까요?
>
> 최근에는 식물을 기르는 것이 미세 먼지의 대책으로 떠오르고 있어요. 식물이 새집 증후군을 일으키는 포름알데히드나 벤젠 등의 성분을 없앤다는 사실은 잘 알려져 있는데, 미세 먼지를 없애는 데에도 효과가 있어요. 2017년 1월에 발표된 농촌진흥청의 연구에 따르면, 산호수나 벵갈고무나무를 초미세 먼지가 있는 방에 두었더니 4시간 만에 약 70%의 초미세 먼지가 줄어들었다고 해요.
>
> 나무의 종류에 따라 초미세 먼지를 제거하는 능력에도 차이가 난다고 해요. 목련, 물푸레나무, 소나무가 초미세 먼지 제거 능력이 뛰어난 반면, 대표적인 가로수인 은행나무를 비롯해 안개나무, 복숭아나무 등은 효과가 별로 크지 않다고 해요.

06 이 글의 내용을 잘못 이해한 것은? ──────────────── ( )

① 미세 먼지 문제가 심각한 수준이다.
② 초미세 먼지를 없애는 식물이 있다.
③ 미세 먼지 때문에 목숨을 잃기도 한다.
④ 벵갈고무나무는 벤젠 성분을 없애는 능력이 없다.
⑤ 새집 증후군은 포름알데히드 같은 성분 때문에 생긴다.

07 상훈이에게 해 줄 수 있는 말로 알맞은 것은? ──────────────── ( )

> 상훈: 미세 먼지를 없앨 수 있도록 마당에 복숭아나무를 심어야겠다.

① 은행나무도 함께 심으면 효과가 더 좋을 거야.
② 복숭아나무를 여러 그루 심으면 효과가 더 좋을 거야.
③ 복숭아나무는 효과가 별로 크지 않으니 은행나무를 심는 게 좋아.
④ 복숭아나무보다는 목련이나 물푸레나무를 심는 것이 좋을 것 같아.
⑤ 복숭아나무에 열매가 열리면 나한테도 좀 나누어 주면 좋을 것 같아.

08 문장의 종류가 다른 하나는? ⸺⸺⸺⸺⸺⸺⸺⸺⸺⸺⸺⸺⸺ ( )

> ㉠ 일요일에 점심으로 피자를 먹고 싶었습니다.
> ㉡ 혼자서 먹는 것이니 작은 피자를 주문했습니다.
> ㉢ 작은 피자는 여덟 조각이 아닌 여섯 조각만 들어 있었습니다.
> ㉣ 두 조각을 남겨서 저녁에 먹으려던 계획이 물거품으로 돌아갔습니다.
> ㉤ 하지만 작은 피자는 정말 맛있었습니다!

① ㉠　　　 ② ㉡　　　 ③ ㉢　　　 ④ ㉣　　　 ⑤ ㉤

09 재원이가 잘못 쓴 문장을 알맞게 고쳐 쓴 것은? ⸺⸺⸺⸺⸺⸺⸺⸺⸺ ( )

① 무니 다치고
② 무니 닫치고
③ 문이 닫치고
④ 문이 닫히고
⑤ 무니 다치고

[10~11] 다음 글을 읽고 물음에 답하시오.

> 한글날에 나는 삼촌에게 놀러 갔다. 국어학자인 삼촌은 우리말을 연구하신다. 삼촌은 나에게 우리말의 소중함에 대하여 ㉠말해 주었다.
>
> 우리 민족은 5000년 동안 우리말을 사용했다. 우리말 속에는 우리 조상의 정신이 담겨 있다. 지금은 세계에서 13번째로 많이 쓰는 말이다.
>
> 하지만 우리는 우리말의 소중함을 잘 모르는 것 같다. 우리말을 두고 영어로 '나이스(Nice)', '굿(Good)' 하며 말하기도 하고, 유행어를 따라 하기도 한다. 또 우리말을 마구 줄여 쓰기도 한다. 우리말이 점점 오염되고 파괴되고 있는 것이다.
>
> 소중한 우리말을 내가 먼저 아끼고 사랑해야겠다. 그 첫걸음은 바른 말을 사용하는 것이다. 내일은 도서관에 가서 우리말에 대한 책을 빌려 볼 것이다.

10 ㉠을 알맞은 높임 표현으로 바르게 고쳐 쓴 것은? ────────(   )

① 말하여 주셨다.
② 말하셔 주었다.
③ 말씀해 주었다.
④ 말씀해 주셨다.
⑤ 말씀하셔 주었다.

11 글쓴이가 다짐한 내용을 실천하기 위해 할 일로 보기 어려운 것은? ──────(   )

① 평소에 바른 말을 사용하려고 노력한다.
② 우리말에 대한 책을 읽고 우리말을 더 아낀다.
③ 영어 대신 우리말로 표현할 수 있으면 우리말을 쓴다.
④ 유행어를 쓰는 친구에게 우리말을 아껴야 한다고 말한다.
⑤ 영어뿐만 아니라 다른 나라의 외국어를 열심히 공부한다.

[12~13] 다음 글을 읽고 물음에 답하시오.

가 미호에게

  미호야, 안녕! 나, 진주야.

  처음에 우리 반에서 나만 짝이 없어서 너무 쓸쓸했어. 그런데 네가 전학을 와서 내 짝이 되었지. 학교를 맞히고 너와 같이 집에 가면서 이야기할 때가 정말 좋아. 그리고 너랑 같이 놀이터에 갔다 와서 더 친해진 것 같아. 정말 고마워. 나도 너에게 좋은 친구가 되고 싶어.

  앞으로도 친하게 지내자. 안녕!

20○○년 4월 20일

네 짝꿍 진주가

나

민수: 할머니, 나 민수~

할머니: 그래, 민수니?

민수: 작년 여름 방학에 할머니집에 못 가서 아쉬웠어. 할머니 집에서 수박도 먹고 개울에서 놀고싶어. 이번 여름 방학에는 꼭시골에 놀러갈게!

---

12 진주가 글을 쓴 까닭은? ····································· (   )

① 미호와 짝이 되고 싶어서
② 미호에게 사과하기 위해서
③ 미호와 친해지고 싶지 않아서
④ 미호에게 고마운 마음을 전하고 싶어서
⑤ 자신이 곧 전학 간다는 사실을 알리기 위해서

13 글 **가**와 **나**에 대한 설명으로 알맞지 <u>않은</u> 것은? ········· (   )

① 글 **나**는 전화 문자로 쓴 글이다.
② 진주는 틀린 낱말 없이 잘 썼다.
③ 글 **가**는 편지의 형식으로 쓴 글이다.
④ 진주는 편지에 들어갈 내용을 빠뜨리지 않았다.
⑤ 민수는 높임말을 제대로 사용하지 않았고 띄어쓰기도 틀렸다.

14 ⓐ 에 들어갈 내용으로 알맞은 것은? ·· ( )

20○○년 6월 10일 토요일   날씨: 바람이 시원한 날

ⓐ 성공

오랜만에 날씨가 화창했다. 현관에 세워 놓은 자전거가 보였다. 어머니께서 내 마음을 아셨나 보다. 나는 어머니를 바라보며 기운차게 말했다.

"오늘은 꼭 성공할 거예요!"

어머니께서는 웃으며 고개를 끄덕이셨다.

점심을 먹은 뒤에 어머니와 함께 놀이터로 나갔다.

어머니께서는 뒤에서 자전거를 잡아 주셨다. 균형을 잡으려고 애썼지만 자전거가 자꾸만 쓰러지려고 했다.

잠깐 쉬고 있으면 어머니께서는 계속 이렇게 외치셨다.

"자, 출발!"

나는 정말 힘들었다. 그래도 자전거 타는 방법을 빨리 배우고 싶은 마음에 열심히 페달을 밟았다. 그런데 가만 보니 어느새 어머니께서 멀리 떨어져서 달려오고 계셨다.

"우아, 제가 지금 혼자 타고 있는 거예요?"

"그럼. 아까부터 그랬단다."

어머니께서 씽긋 미소를 지으셨다.

"야호!"

하늘로 붕 떠오르는 기분이었다. 어머니와 나는 손이 아플 정도로 손뼉을 마주쳤다. 저녁때가 다 되어 집으로 돌아왔다. 자전거를 혼자 탈 수 있게 되어 참 뿌듯했다.

① 책 읽기
② 일기 쓰기
③ 자전거 타기
④ 즐겁게 공부하기
⑤ 어머니 도와드리기

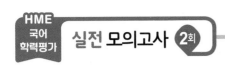

15 양력과 음력에 대한 설명으로 알맞지 <u>않은</u> 것은? ·······················(   )

세계 공용인 양력

2019년 설날은 2월 5일이었는데 2020년 설날은 1월 25일이야. 왜 우리 명절의 날짜가 매년 변하는지 궁금해 한 적 있니? 그에 비해 성탄절은 12월 25일로 매년 똑같은 날인데 말이야. 그 이유는 두 날을 계산하는 기준이 다르기 때문이야. 우리가 평소에 날짜를 세는 달력은 양력 기준인데, 서양에서 유래한 성탄절은 양력으로 헤아리는 날이야.

우리가 흔히 '양력'이라 부르는 건 '태양력'을 줄여 부르는 이름이야. 태양의 움직임을 기준으로 날짜를 정한 것이거든. 지구가 태양을 한 바퀴 도는 기간을 1년으로 보는데, 이 시간이 365일이야.

우리 전통 달력인 음력

설날은 음력으로 헤아리는 날이야. 음력으로 1월 1일이 설날인데, 이를 양력 날짜로 맞추다 보니 매년 날짜가 변하는 거지. 음력은 우리 조상들이 써 오던 전통 방식으로, 전통 명절은 물론이고 제사도 음력으로 헤아리는 경우가 많아. 우리 조상들은 생일도 음력으로 헤아렸는데, 요즘은 양력 생일을 쓰는 사람이 더 많아지고 있어.

▲ 달의 모양 변화

음력은 달이 변하는 모습에 따라 만든 달력이야. 거의 보이지 않던 달이 서서히 차기 시작해 쟁반처럼 둥근 보름달이 되고 다시 기울어 달의 모습이 거의 보이지 않는 기간을 한 달로 정해 계산하는 방법이지. 음력은 달의 모양만 봐도 날짜를 대강 짐작할 수 있는 편리한 날짜 계산법이야.

① 음력 1월 1일은 설날이다.

② 양력 12월 25일은 성탄절이다.

③ 음력은 서양에서 만든 전통 달력이다.

④ 음력은 달의 모습을 기준으로 만들었다.

⑤ 양력은 태양의 움직임을 기준으로 만들었다.

[16~17] 다음 이야기를 읽고 물음에 답하시오.

평화롭던 동물 마을에 큰 소동이 벌어졌어요. 숲 한가운데에 넓은 찻길이 생긴 거예요. 그 바람에 마을 밖으로 나가는 길이 끊겨 버렸어요. 쌩쌩 달리는 자동차가 무서워서 찻길을 건널 수가 없었거든요. 무리하게 길을 건너려다가 크게 다치거나 죽는 동물들도 생겨났어요. 동물들은 모두 걱정이 커졌어요.

고라니가 한숨을 푹 쉬며 말했어요.

"큰일이야. 이래서는 먹이를 구하러 갈 수가 없어."

그러자 들고양이도 훌쩍이며 말했어요.

"나는 헤어진 가족을 만나고 싶어."

두꺼비가 부럽다는 눈초리로 종달새를 바라보며 말했어요.

"새들은 좋겠다. 훨훨 날아서 찻길을 넘어갈 수 있으니까."

그러자 종달새가 머리를 휘휘 저으며 말했어요.

"우리도 안전하지 않아. 찻길 근처에서 낮게 날면 차가 일으키는 바람에 휘말리기 쉽거든. 나도 위험할 뻔했다고."

다람쥐는 차가 쌩쌩 달리는 찻길을 바라보며 말했어요.

"어떻게 하면 안전하게 마을 밖으로 나갈 수 있을까?"

동물들은 고민에 빠졌어요.

16 동물 마을에 생긴 문제는? ──────────────────────── (   )

① 흉년이 들어 먹을 것이 부족했다.

② 숲을 없애기 위한 공사가 시작됐다.

③ 숲의 동물들 사이에 다툼이 생겼다.

④ 숲의 동물들을 잡아가는 사냥꾼들이 늘어났다.

⑤ 숲에 찻길이 생겨 마을 밖으로 나가는 길이 끊어졌다.

17 동물들의 고민을 해결할 수 있는 방법은? ──────────── (   )

① 더 먼 곳으로 먹을 것을 구하러 간다.

② 다툼이 생긴 동물끼리 서로 화해한다.

③ 공사를 하지 않는 다른 마을로 이사한다.

④ 사냥꾼들을 골탕 먹일 수 있는 함정을 판다.

⑤ 찻길 위로 동물이 다닐 수 있는 다리를 만든다.

[18~19] 다음 시를 읽고 물음에 답하시오.

치과에서

김시민

아, 아
입을 더 크게 벌려야 하는데
으, 으
점점 입이 다물어진다

이를 빼야 하는데
눈물이 먼저
쏙
빠진다

18 이 시를 읽고 떠오르는 장면으로 보기 <u>어려운</u> 것은? .... ( )
① 치과에서 치료를 받는 모습
② 이를 뽑기 위해 입을 벌린 모습
③ 뽑은 이를 지붕 위로 던지는 모습
④ 아이가 입을 벌리다가 찡그리는 모습
⑤ 찡그린 아이의 얼굴에 눈물이 흐르는 모습

19 이 시에서 말하는 이의 마음은? .... ( )
① 심심하다.
② 궁금하다.
③ 겁이 난다.
④ 기다려진다.
⑤ 자랑스럽다.

20 아영이가 오늘 학교에서 슬픈 마음이 들었던 까닭은? ⋯⋯⋯⋯⋯⋯ (   )

아영이는 학교에서 친구들과 공기놀이를 하였어요.

빨강, 초록 공기 알을 보니 문득 방울토마토 이름 짓는 걸 깜빡한 게 떠올랐어요.

아영이는 친구에게 물어보았어요.

"영미야, 우리 집 방울토마토 이름을 지어 줘야 하는데 뭐가 좋을까?"

"글쎄, 방울이? 아님 빨강이?"

영미는 방울토마토에 별로 관심이 없나 봐요. 공기놀이를 하면서 건성으로 대답을 하네요. 살짝 서운한 마음이 들었어요.

"빨강이는 안 될 것 같아. 아직 어려서 초록색이거든."

집에 오자마자 베란다로 달려갔어요. 반나절 사이에 많이 토실토실해진 것 같아요.

"얘들아, 잘 놀았어? 하루 종일 매달려 있느라 힘들진 않았니?"

봄바람이 살랑살랑 불어오니 방울토마토 삼 형제가 흔들흔들! 괜찮다고, 즐겁게 잘 놀고 있었다고 고개를 끄덕이는 것 같아요.

"얘들아, 나는 오늘 좀 슬펐어. 친구들에게 너희 자랑을 하려고 했는데 다들 별로 관심이 없는 거야. 재현이는 토마토가 싫다고 하고, 영미는 공기놀이만 좋아하고……. 너희가 말을 할 수 있으면 참 좋을 텐데. 나는 혼자라서 가끔 외롭거든."

방울토마토에게 이런저런 얘기를 하니까 신기하게도 기분이 조금 풀리는 것 같아요. 내 마음속 비밀을 털어놓을 수 있는 비밀 친구가 생긴 것 같기도 하고요. 이제 힘든 일이 있으면 방울토마토 삼 형제에게 얘기해야겠어요. 그럼 오늘처럼 나를 위로해 주겠죠?

「이름 짓기 가족회의」 허윤

① 강아지가 방울토마토를 먹어 버려서
② 급식 시간에 밥을 제대로 먹지 못해서
③ 선생님이 숙제를 너무 많이 내 주셔서
④ 방울토마토의 이름이 생각나지 않아서
⑤ 친구들이 방울토마토에 관심을 보이지 않아서

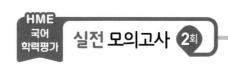

21 다음 이야기의 주제와 관련이 있는 속담은? ·· (   )

가 옛날, 어느 마을에 농사꾼이 살았어. 하루는 농사꾼이 밭을 일구느라고 괭이질을 하고 있었지. 그러다가 큰 독을 하나 발견했어. 그냥 내버려 두려다 좀 아깝기도 해서 집으로 가지고 왔어. 그 안에 괭이를 넣어 두었지.

이튿날, 농사꾼이 밭에 가려고 독에 넣었던 괭이를 꺼냈어. 그런데 이게 웬일이야. 독 안에 똑같은 괭이 한 자루가 또 들어 있어. 이번엔 엽전 한 닢을 독 안에 넣었더니 독 안에 엽전 한 닢이 또 들어 있는 거야. 농사꾼은 좋아서 어쩔 줄을 몰라.

나 "여보게, 이 독은 내 것이 틀림없네."

"아니, 내 밭에서 파낸 독인데, 어째서 영감님 독이란 말이오?"

"그 밭이야 원래 내 밭이었잖아. 나는 자네한테 밭만 팔았지 독은 팔지 않았거든."

"그럼 원님한테 가서 재판을 받아 봅시다."

농사꾼은 부자 영감과 함께 고을 원님한테 가서 누가 진짜 임자인지 가려 달라고 했어. 신기한 독 이야기를 들은 원님은 독이 자꾸 탐났어. 그러니 재판 생각은 뒷전이지.

다 원님은 당장 독을 자기 집으로 날랐어. 그런데 이 집엔 여든 살이 넘은 원님 아버지가 있어. 그 아버지가 대청에 놓인 독을 보았어. 문득 독 안에 무엇이 들어 있는지 궁금해지거든. 원님 아버지는 까치발을 하고 고개를 독 안으로 쑤욱 들이밀었어.

그러다가 원님 아버지는 그만 독 속으로 빠지고 말았지. 그러니 집안이 난리가 났어. 원님이 얼른 아버지를 독에서 꺼냈지. 아, 그런데 독 안에 또 아버지가 있질 않겠어? 머뭇거리고 있으니까 독 안에서 소리를 쳐.

"무엇들 하느냐. 어서 나를 꺼내지 않고!"

원님은 그 아버지도 꺼냈어. 꺼내고 보니 독 안에 똑같은 아버지가 또 있네. 꺼내 놓고 보면 독 안에 똑같은 아버지가 또 있고, 또 있고······. 누가 진짜 아버지인지 알 수가 있어야지.

「신기한 독」 홍영우

① 소 잃고 외양간 고친다
② 천 리 길도 한 걸음부터
③ 낫 놓고 기역 자도 모른다
④ 가는 말이 고와야 오는 말이 곱다
⑤ 바다는 메워도 사람의 욕심은 못 채운다

22 다음 이야기에서 '장기려 선생님 같은 바보 의사'에 담긴 뜻은? .... (   )

> **가** 엄마 등에 업혀 사르르 잠이 들려고 할 때였어요. 옆 침대 아줌마가 엄마에게 말을 걸었어요.
>
> "장기려 선생님 얘기 들었어요? 얼마 전에 밀린 입원비 때문에 퇴원 못 하는 환자를 사무장님 몰래 뒷문으로 내보내셨대요."
>
> 그러자 엄마가 대답했어요.
>
> "그건 아무것도 아니에요. 은행에서 병원으로 전화가 왔더래요. 어떤 거지가 선생님 수표를 가지고 왔으니 확인해 달라고요. 틀림없이 훔치거나 주운 것이라 생각했는데, 세상에, 월급 받은 걸 통째로 준 거였대요."
>
> "남한테는 그리 베풀면서, 정작 선생님 가운은 소매가 나달나달하던데……."
>
> "월급 많이 주면서 모셔 가려는 병원도 많은데, 우리같이 없는 사람들 돌보려고 사서 고생하시는 거래요. 그래서 별명이 바보 의사라잖아요."
>
> 선생님이 바보 의사래요. 장기려 선생님은 바보 의사 선생님…….
>
> **나** "그런데 선생님, 어디 갔다 왔어요?"
>
> "의사가 없는 마을에 가서 사람들을 치료하고 왔단다. 병원이 없어서 아파도 치료를 받지 못하는 사람이 많거든."
>
> 나는 갑자기 궁금해졌어요.
>
> "선생님은 어릴 때부터 의사가 되고 싶었어요?"
>
>
>
> "그래, 의사가 되고 싶었지. 가난하고 병든 사람을 돕는 의사. 그런데 점점 어려워지는구나. 치료에 쓰는 약이나 기구 값이 엄청나거든. 그래서 요즘은 건강할 때 조금씩 돈을 모아서 병나고 다쳤을 때 걱정 없이 치료받을 수 있는 방법을 생각하고 있어."
>
> 나는 그때 마음먹었어요. 장기려 선생님처럼 가난하고 병든 사람을 돕는 의사가 되겠다고요. 선생님 같은 바보 의사가 되겠다고요.
>
> 「선생님, 바보 의사 선생님」 이상희

① 매일 똑같은 약만 주는 의사
② 의사 시험에 아주 힘들게 합격했던 의사
③ 학교에 다닐 때 공부를 잘하지 못했던 의사
④ 병원을 직접 세우지 않고 월급만 받고 일하는 의사
⑤ 자신은 돌보지 않고 가난하고 병든 사람을 먼저 돕는 의사

23 다음 편지에서 ㉠~㉤이 무엇에 해당하는지 <u>잘못</u> 나타낸 것은? ·········· (   )

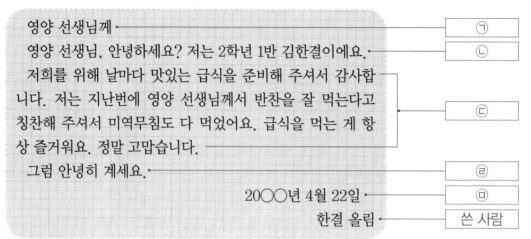

① ㉠ – 받을 사람
② ㉡ – 첫인사
③ ㉢ – 전하고 싶은 말
④ ㉣ – 부탁하는 말
⑤ ㉤ – 쓴 날짜

24 글 **가**와 **나**에 대한 설명으로 알맞은 것은? ··························· (   )

> **가** 오늘은 비가 내렸다. 나는 장화를 신고 학교에 갔다. 우산을 돌리니 빗방울이 떨어졌다.
> **나** 오늘은 비가 주룩주룩 내렸다. 나는 노란 장화를 신고 학교에 갔다. 우산을 돌리니 굵은 빗방울이 후드득 떨어졌다.

① 글 **나**는 너무 길어서 읽기 힘들다.
② 글 **나**에 이어 주는 말이 들어가 있다.
③ 글 **가**에 이어 주는 말이 있어서 읽기 편하다.
④ 글 **가**와 **나**는 각각 전혀 다른 내용을 쓴 것이다.
⑤ 글 **나**에 꾸며 주는 말이 들어가 있어서 비 내리는 모습이 실감 난다.

요즘 급식 시간에 음식을 남기는 친구들이 많습니다. 자기가 좋아하지 않는 반찬은 먹으려고 하지 않고, 자기가 좋아하는 반찬만 먹기 때문입니다. 우리가 이렇게 ㉠편식을 하면서 남기는 음식은 모두 음식물 쓰레기가 됩니다. 세계 어떤 나라의 어린이들은 먹을 음식이 없어서 ㉡굶고 있다고 합니다. 우리 모두 급식을 먹을 때 음식을 남기지 않도록 노력합시다.

25 ㉠의 뜻으로 알맞은 것은? ⋯⋯⋯⋯⋯⋯⋯⋯⋯⋯⋯⋯⋯⋯⋯⋯⋯⋯⋯⋯ (   )

① 음식을 지나치게 많이 먹음.
② 끼니와 끼니 사이에 먹는 음식.
③ 어떤 특정한 음식만을 즐겨 먹음.
④ 음식의 맛을 보려고 시험 삼아 먹어 봄.
⑤ 일정한 기간 동안 어떤 음식도 먹지 않겠다고 함.

26 ㉡을 알맞게 소리 내어 읽은 것은? ⋯⋯⋯⋯⋯⋯⋯⋯⋯⋯⋯⋯⋯⋯⋯⋯⋯⋯ (   )

① [굼고]
② [굴고]
③ [굴꼬]
④ [굼꼬]
⑤ [굴모]

27 다음 중, 서로 관계가 다른 하나는? ·· (   )

① 집 – 댁

② 나이 – 연세

③ 밥 – 진지

④ 생일 – 생신

⑤ 가다 – 오다

28 다음 문장에 들어갈 꾸며 주는 말로 어울리지 <u>않는</u> 것은? ···················· (   )

> ☐ 털이 난 아기 고양이가 앉아 있습니다.

① 짧은
② 빨간
③ 예쁜
④ 갈색의
⑤ 줄무늬의

29 ㉠~㉤을 잘못 고친 것은? ··· (   )

> 　친구에게 편지를 ㉠붙이려고 우체국에 ㉡가쓰습니다. 아주머니께서 우표를 ㉢부쳐야 한다고 해서 우표를 사서 봉투 위에 ㉣부쳐쓰습니다. 그런 다음 우체통에 편지를 ㉤넛었습니다.

① ㉠부치려고
② ㉡갔습니다
③ ㉢붙여야
④ ㉣부쳤습니다
⑤ ㉤넣었습니다

30 그림 ❶~❹와 |자료|를 보고 쓴 내용입니다. 그림의 번호와 내용이 어울리지 않는 것은? ································· (   )

|자료| 일이 일어난 차례를 생각하며 글을 쓰는 방법

❶ 시간을 나타내는 말을 넣어 그때 있었던 일을 씁니다.

시간을 나타내는 말 예

아침 , 점심 , 저녁 , 밤 ,
낮 12시 , 밤 12시 , 점심때 ,
지난 주 월요일 , 주말에

❷ 쓴 내용을 시간 순서대로 늘어놓습니다.

① 그림 ❶-오전 10시에 가족과 함께 공원에 갔다.
② 그림 ❷-오후 3시에 놀이터에서 그네를 탔다.
③ 그림 ❸-저녁에 가족과 함께 김밥을 맛있게 먹었다.
④ 그림 ❹-오전 11시에 여러 가지 꽃을 구경했다.
⑤ 그림 ❹-오전 11시에 처음 보는 꽃의 이름을 배웠다.

실전 모의고사 3회

01 그림 ④에서 민수가 한 말을 장페이가 오해하지 않도록 알맞게 고친 것은? ( )

① 그래, 월병은 송편과 틀리구나.
② 그래? 중국은 우리랑 다르구나.
③ 그래, 월병은 신기한 음식이구나.
④ 월병 만드는 방법이 꽤 어렵구나.
⑤ 그럼 월병도 송편하고 완전히 똑같구나?

[02~03] 다음을 보고 물음에 답하시오.

02 **가**에서 아인이가 호영이에게 칭찬한 것은?⋯⋯⋯⋯⋯⋯⋯⋯⋯⋯⋯⋯ (   )

① 글씨를 예쁘게 쓰는 것
② 공책을 깨끗하게 쓰는 것
③ 선생님께 칭찬을 받은 것
④ 또박또박 발표를 잘하는 것
⑤ 여러 가지 책을 많이 읽는 것

03 **나**에 대한 설명으로 알맞은 것은?⋯⋯⋯⋯⋯⋯⋯⋯⋯⋯⋯⋯⋯⋯⋯⋯ (   )

① 호영이는 칭찬을 듣고 나서 겸손한 태도를 보이지 않았다.
② 아인이가 호영이를 칭찬하자, 호영이도 아인이를 칭찬했다.
③ 호영이는 칭찬을 듣고 나서 고마운 마음을 나타내지 않았다.
④ 아인이가 호영이를 칭찬했는데, 호영이는 아무 말도 하지 않았다.
⑤ 호영이가 아인이를 먼저 칭찬하자, 아인이도 호영이를 칭찬해 주었다.

[04~05] 다음 글을 읽고 물음에 답하시오.

"어머니, 운동화가 작아서 발이 아파요."

"그래? 새 운동화를 사러 가야겠구나."

토요일 오전이라 그런지 신발 가게는 조용했다. 신발 가게에 있는 많은 신발 가운데에서 공주 그림이 있는 노란 운동화를 신어 보았다.

"어머니, 이 운동화를 사고 싶어요."

"그게 마음에 드니? 그럼 그것으로 하자."

집으로 돌아와 새 운동화를 신고 학교 운동장으로 나가 보았다.

운동장에서는 여러 명이 술래잡기를 하고 있었다.

"가은아, 어서 와. 너도 같이 하자."

아이들이 술래잡기를 함께 하자고 해서 고마웠다. 새 운동화를 신고 달리니 붕붕 날아가는 것 같았다.

"가은아, 오늘 정말 잘한다."

내게 한 번도 잡힌 적 없던 채현이가 나에게 잡히면서 말했다.

새 운동화를 신어서 달리기가 더 빨라진 것 같았다. 나는 노란 새 운동화가 더욱 마음에 들었다.

04 가은이의 새 운동화에 대한 설명으로 알맞은 것은? ·· (   )

① 공주 그림이 그려져 있다.

② 만화 주인공이 그려져 있다.

③ 파란색과 초록색이 섞여 있다.

④ 하얀색과 검은색이 섞여 있다.

⑤ 가은 어머니가 인터넷에 접속하여 주문하였다.

05 다음 빈칸에 모두 들어갈 가은이의 마음으로 알맞은 것은? ································ (   )

• 어머니가 새 신발을 사 주셔서 [   ] 마음

• 아이들이 술래잡기를 하자고 말해 주어서 [   ] 마음

① 미안한   ② 부러운   ③ 고마운

④ 답답한   ⑤ 부끄러운

06 ㉠~㉣의 관계를 바르게 나타낸 것은? ································· (   )

> 사회가 발전하면서 과거에는 중요한 ㉠직업이었지만 지금은 거의 사라진 직업도 있고, 예전에는 없었던 직업이 새로 생겨나기도 했습니다. ㉡정보 검색사, ㉢생명 공학 기술자, ㉣게임 디자이너, 게임 시나리오 작가, 컴퓨터 보안 전문가, 웹 방송 엔지니어, 인터넷 쇼핑몰 운영자 등은 불과 30여 년 전에는 들어 볼 수 없었던 직업들입니다.
>
> 반대로 인쇄소의 식자공, 전화 교환원, 시내버스 승무원 같은 직업은 거의 없어졌다고 해도 과언이 아닙니다. 그리고 인터넷 초창기의 웹 마스터라는 직업이 웹 프로듀서, 웹 디자이너, 웹 엔지니어 등으로 나누어진 것처럼 기술의 전문화에 따라 직업의 종류도 더욱 세분화되며 많아지고 있습니다.

① ㉠은 ㉡~㉣을 대표하는 낱말이다.

② ㉠~㉣은 아무런 관계가 없는 낱말들이다.

③ ㉠~㉣은 모두 똑같은 뜻을 가진 낱말이다.

④ ㉠~㉢을 한 낱말로 정리한다면 ㉣이 된다.

⑤ ㉠과 ㉡, ㉢과 ㉣은 서로 뜻이 반대인 낱말이다.

07 ㉠을 알맞게 고친 낱말은? ································· (   )

① 짝다   ② 짝어   ③ 작아   ④ 쩍어   ⑤ 작따

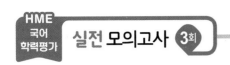

[08~09] 다음 글을 읽고 물음에 답하시오.

우리나라에서 고양이가 반려 동물로서 인기가 늘고 있다. 농림축산검역본부의 '2019년 동물보호에 대한 국민의식 조사' 결과에 따르면, 양육 중인 고양이 수는 258만 마리로 첫 조사를 실시한 2012년 115만 마리에 비해 2배 이상 증가한 것으로 나타났다. 개는 2012년 439만 마리에서 2018년 507만 마리, 2019년에는 598만 마리로 늘어났다.

고양이가 이렇게 인기를 얻는 이유는, 개를 키우는 것보다 번거롭지 않기 때문이라고 볼 수 있다. 고양이는 개에 비해 산책을 시키는 데 드는 시간을 아낄 수 있고 공동 주택에서 크게 짖지 않으므로 남에게 피해를 끼치지도 않는다.

고양이에 대한 관심이 높아지고 있지만 반대로 길거리 고양이를 잔인하게 학대하거나 돌보지 않는 문화에 대한 비판도 여전하다. 키울 능력이 되지 않는 사람들이 ㉮동물을 방치하거나 버리는 것에 대한 대책이 필요하다는 지적이 이어지고 있다.

〈양육 중인 개와 고양이 수의 변화〉

	2012년	2018년	2019년
개	㉠ 439만 마리	㉡ 507만 마리	㉢ 598만 마리
고양이	㉣ 115만 마리	128만 마리	㉤ 285만 마리

08 ㉠~㉤ 중, 글의 내용과 맞지 <u>않는</u> 것은? ⸺⸺⸺⸺ ( )

① ㉠ ② ㉡ ③ ㉢ ④ ㉣ ⑤ ㉤

09 ㉮의 예로 다음 의견을 냈습니다. 의견에 알맞은 까닭은? ⸺⸺⸺ ( )

> 고양이를 키우기 시작할 때 주민 센터에 등록을 시켜 관리한다.

① 고양이가 주민 센터를 좋아하기 때문이다.
② 고양이가 싫증 나면 주민 센터에 맡길 수 있기 때문이다.
③ 주민 센터에서 고양이 관련 물품을 구입할 수 있기 때문이다.
④ 고양이가 주민 센터에서 다른 친구를 사귈 수 있기 때문이다.
⑤ 등록된 고양이가 버려지면 누가 주인인지 알 수 있기 때문이다.

10 ㄱ~ㅁ을 <u>잘못</u> 고쳐 쓴 것은?·······················(   )

> 제 동생은 이수빈이고 여자아이입니다. 나이는 일곱 살입니다. 눈이 크고 동그
> 랗습니다. 수빈이는 요리하는 것을 좋아해 어머니께서 요리하실 때 ㉠<u>여페서</u>
> ㉡<u>마니</u> 도와드립니다. 그리고 수빈이는 ㉢<u>그리믈</u> 잘 그립니다. 혼자서 책상 앞에
> ㉣<u>안자</u> 그림을 척척 ㉤<u>그림니다</u>. 그림 그리기 대회에서 여러 번 상을 받았습니다.
> 나중에 커서 화가가 되는 것이 꿈입니다.

① ㉠ – 옆에서   ② ㉡ – 많이

③ ㉢ – 그림을   ④ ㉣ – 앉아

⑤ ㉤ – 그림입니다

11 다음 문장을 알맞게 고쳐 쓴 것은?·······················(   )

달 업씨도 밤하늘이 발씁니다.

① 달 없이도 밤하늘이 박습니다.

② 달 업이도 밤하늘이 밝습니다.

③ 달 없이도 밤하늘이 발씁니다.

④ 달 업이도 밤하늘이 밝습니다.

⑤ 달 없이도 밤하늘이 밝습니다.

12 　◯ 　에 들어갈 내용으로 알맞은 것은? ⋯⋯⋯⋯⋯⋯⋯⋯⋯⋯⋯⋯⋯ (　　　)

아침을 먹을 때였습니다. 와삭와삭, 오독오독, 모두 맛있게 먹고 있는데 나는 한 입도 못 먹었습니다. 이가 아팠기 때문입니다. 아버지께서는 이를 잘 닦지 않아서 아픈 거라며 치과에 가서 치료를 받아야 한다고 말씀하셨습니다.

아버지와 함께 간 치과에는 이가 아파서 온 친구가 많았습니다.

"가림아, 음식을 먹고 이를 잘 닦지 않았지? 이를 잘 닦지 않아 이가 썩었구나."

의사 선생님께서 썩은 이를 치료하셨습니다.

아프기도 하고 무섭기도 해서 나도 모르게 눈물이 찔끔찔끔 나왔습니다. 의사 선생님께서는 입 안에 음식 찌꺼기가 남아 있으면 입 안에 사는 세균이 이를 썩게 한다고 하셨습니다. 평소에 이를 잘 닦지 않은 것을 많이 후회했습니다. 이 닦기만 잘해도 이를 건강하게 지킬 수 있습니다. 이를 잘 닦지 않으면 이가 썩어서 아프고 건강을 해치니까 ◯ .

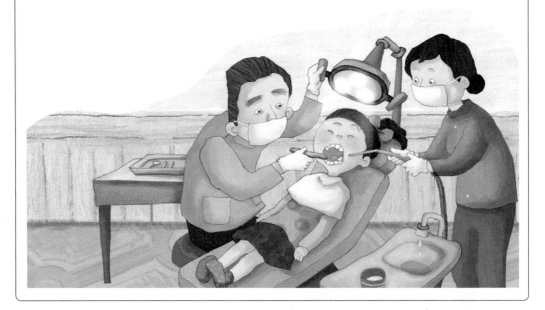

① 단 음식을 많이 먹어야겠습니다.

② 새 칫솔을 사 달라고 해야겠습니다.

③ 딱딱한 음식을 먹지 말아야겠습니다.

④ 이를 잘 닦는 습관을 길러야겠습니다.

⑤ 이가 썩기 전에 자주 치료를 받으러 와야겠습니다.

[13~14] 다음 이야기를 읽고 물음에 답하시오.

옛날, 어느 마을에 큰 부자가 살았어요. 부자의 집은 대궐같이 으리으리하고, 곳간에는 쌀이 가득했지요. 곳간에 먹을 것이 많다 보니 생쥐도 바글거렸어요.

생쥐들은 곡식도 야금야금 먹어 치우고, 돗자리며 가마니도 닥치는 대로 갉아 댔어요. 화가 난 하인들은 쥐덫을 놓기로 했지요.

어느 날, 하인들이 쥐덫 놓는 걸 본 부자가 말했어요.

"쥐도 다 살려고 태어난 목숨이니라. 쥐들이 먹을 만큼 먹여 주면 곳간을 들락거리지 않을 것이다. 닭에게 모이 주고 소에게 여물 주듯, 쥐들에게도 먹을 것을 주고 덫도 썩 치워 놓거라."

그리하여 하인들은 쥐덫을 몽땅 거둬들이고, 매일매일 쥐 먹이도 주어야 했지요.

그러던 어느 날, 생쥐들이 줄지어 춤을 추면서 문턱을 넘어가는 게 아니겠어요!

이 신기한 광경을 보느라 하인들뿐만 아니라 부자도 대문을 나섰지요. 그 모습을 본 마을 사람들도 뒤를 따랐어요.

그때 '우지끈' 요란한 소리가 나더니 부자의 집이 폭삭 내려앉아 버리지 뭐겠어요!

㉠"너희가 은혜를 갚은 거로구나!"

부자는 생쥐들이 은혜를 갚으려고 부자와 하인들을 집 밖으로 나오게 한 걸 알고 크게 고마워했답니다.

「춤추는 생쥐」 조동호

---

13 이 이야기에 나오는 부자에 대해 알맞게 말한 것은? ·········· (   )

① 너그러운 사람이다.
② 욕심이 많은 사람이다.
③ 몹시 게으른 사람이다.
④ 남을 돕지 않는 사람이다.
⑤ 느린 것은 못 참는 사람이다.

14 ㉠으로 보아, 생쥐들이 춤을 추며 문턱을 넘어간 까닭은? ·········· (   )

① 다른 곳으로 이사가기 위해서
② 생쥐들의 축제를 준비하기 위해서
③ 먹을거리가 생겨 기분이 아주 좋아서
④ 먹어 보지 않은 먹이를 달라고 하기 위해서
⑤ 곧 무너질 집에서 사람들을 밖으로 내보내기 위해서

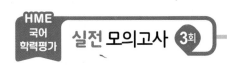

15 콩이가 만난 인물을 순서대로 알맞게 늘어놓은 것은?·······················(   )

> 생쥐 콩이는 새로 이사를 온 집에 놀러 갔어요.
> "어서 오세요!"
> 문을 열고 나온 것은 작은 일개미였어요. 개미는 콩이를 굴 안으로 안내했어요. 땅속으로 뚫린 굴은 아늑한 방으로 연결되었지요.
> 아침에는 애벌레 방을 구경했어요. 방에는 쌀알처럼 생긴 개미알이 쌓여 있었어요. 알 사이사이로 뽀얗고 포동포동한 애벌레가 기지개를 켰어요.
> "정말 귀여운 아기야."
> 콩이는 애벌레를 살짝 쓰다듬어 주었어요.
> 점심때는 여왕개미 방에 갔어요. 여왕개미는 막 알을 낳고 잠깐 쉬는 중이었지요. 여왕개미가 활짝 웃으며 콩이를 맞이했어요.
> "반가워요. 앞으로 자주 놀러 와요."
> 콩이는 상냥한 여왕개미가 마음에 들었어요.
> 저녁때가 되었어요. 콩이는 굴을 나가려다가 신기한 방을 보았어요.
> "여기는 무슨 방일까?"
> 콩이는 고개를 갸웃하다가 방 안으로 살금살금 들어갔어요. 방 안에는 무지갯빛 안개가 몽실몽실 피어나고 있었지요.
> "콩이라더니 정말 콩알만 하군."
> 문득 어디선가 우렁우렁한 목소리가 들렸어요.
> 머리에는 무지갯빛 모자를 쓰고 발까지 닿는 망토를 걸친 이상한 개미였어요. 개미는 싱글벙글 웃으며 다가왔어요.
> "어서 와! 아까부터 기다리고 있었단다."
> 콩이는 얼떨떨해서 물었어요.
> "제 이름을 어떻게 아세요?"
> 그러자 개미가 호탕하게 웃으며 대답했어요.
> "하하하. 난 마법사 개미거든!"
>
> 「개미집에 간 콩이」 천효정

① 일개미 ➡ 애벌레 ➡ 여왕개미 ➡ 마법사 개미
② 애벌레 ➡ 일개비 ➡ 마법사 개미 ➡ 여왕개미
③ 일개미 ➡ 여왕개미 ➡ 애벌레 ➡ 마법사 개미
④ 여왕개미 ➡ 애벌레 ➡ 마법사 개미 ➡ 일개미
⑤ 일개미 ➡ 마법사 개미 ➡ 여왕개미 ➡ 애벌레

글쓴이가 말한 자연 보호 방법이 <u>아닌</u> 것은? ····························· (　　　)

　우리에게 여러 가지 도움을 주는 자연은 우리와 떼려야 뗄 수 없는 관계입니다. 우리는 살아가는 데 없어서는 안 될 자연을 보호하고 아껴야 합니다. 그러면 자연을 보호하기 위해 우리가 실천할 수 있는 일을 생각해 볼까요?

　먼저, 식물을 아끼고 보호해야 합니다. 나무나 꽃이 예쁘다고 함부로 꺾으면 안 됩니다. 잘 자라던 나무나 꽃을 꺾으면 말라 죽거나 제대로 자라지 못합니다.

　그리고 공원이나 산에 갈 때에는 쓰레기를 함부로 버리지 않아야 합니다. 산에 버려진 쓰레기가 썩는 데는 시간이 많이 걸립니다. 그러므로 산에 올라갈 때에는 쓰레기 봉지를 가져가서 자신의 쓰레기를 담아 와야 합니다.

　또 가까운 거리는 걷거나 지하철을 이용해 움직여야 합니다. 자동차에서 나오는 나쁜 연기는 나무를 잘 자라지 못하게 하고, 우리가 숨 쉴 때 마시는 공기도 나빠지게 합니다.

　우리는 자연 없이는 살아갈 수 없습니다. 더 좋은 환경에서 살아가려면 자연을 아끼고 보호해야 합니다.

① 꽃을 함부로 꺾지 맙시다.
② 나무를 함부로 꺾지 맙시다.
③ 산에 쓰레기를 버리지 맙시다.
④ 종이컵 같은 일회용품을 쓰지 맙시다.
⑤ 가까운 거리는 걷거나 지하철을 타고 갑시다.

[17~18] 다음 시를 읽고 물음에 답하시오.

나만 보면

이송현

아빠는 나만 보면
아빠도 열 살 같대요.
아들, 딱지치기 한 판 어때?
폭신폭신 이불 위에서 레슬링하자!
엄마 몰래 국자에 달고나 해 먹을까?
아빠는 나만 보면
자꾸만 열 살짜리가 되려고 해요.
이러다가
내가 아빠의 아빠 되겠어요.

17 이 시에서 '내'가 경험한 일로 보기 <u>어려운</u> 것은? ·········· (   )

① 아빠한테 수학 공부를 물어보았다.
② 아빠와 함께 이불 위에서 레슬링을 하였다.
③ 아빠가 '나'에게 딱지치기를 하자고 하였다.
④ 아빠가 '나'한테 자신도 열 살 같다고 말하였다.
⑤ 엄마 몰래 아빠와 함께 국자에 달고나를 해 먹었다.

18 이 시에 나오는 아빠의 성격은? ·········· (   )

① 엄하다.
② 자상하다.
③ 무뚝뚝하다.
④ 욕심이 많다.
⑤ 말수가 적다.

19 빈칸에 들어갈 물음으로 알맞은 것은? ·· (   )

> 수현: 언제 있었던 일이니?
>
> 가영: 지난 일요일에 있었던 일이야.
>
> 수현: 어디에서 있었던 일이야?
>
> 가영: 숙제를 하던 곳은 내 방이었고, 고양이를 본 곳은 거실이었어.
>
> 수현: [   ]
>
> 가영: 삼촌과 있었던 일이야.
>
> 수현: 무슨 일이 있었어?
>
> 가영: 삼촌이 우리 집에서 키우라고 아기 고양이를 데려오셨어.

① 어떤 일이 있었니?

② 누구와 있었던 일이니?

③ 누구한테서 들은 말이니?

④ 그 일에 대한 느낌은 어땠니?

⑤ 네가 좋아하는 사람은 누구지?

20 ㉠과 같은 종류의 말이 들어가지 <u>않은</u> 문장은? ···························· (   )

> 늦잠을 자지 않겠다는 약속을 지키지 못해서 ㉠<u>부끄러웠다</u>.

① 친구의 책을 잃어버려서 몹시 <u>미안했다</u>.

② 시골로 내려가신 할머니가 너무 <u>그리웠다</u>.

③ 어질러 놓은 방을 깨끗하게 치우니 <u>상쾌했다</u>.

④ 나랑 친하게 지내던 친구가 다른 반이 <u>되었다</u>.

⑤ 강아지가 큰 병에 걸린 것이 아니라 참 <u>다행스러웠다</u>.

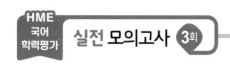

[21~22] 다음 이야기를 읽고 물음에 답하시오.

할아버지는 기침을 한 번 "에헴!" 하고는 이야기를 시작했어요.

그때 마침 할아버지네 집 담 너머에서 시커먼 그림자 하나가 훌쩍 넘어 들어왔어요. 도둑이었어요. 할아버지는 낮에 빨간 코 농부 아저씨가 들려준 이야기를 시작했어요.

"훨훨 온다."

할머니도 따라 했어요. / "훨훨 온다."

그 소리에 깜짝 놀란 도둑이 부엌으로 성큼성큼 숨어 들어갔어요.

"성큼성큼 걷는다." / "성큼성큼 걷는다."

도둑은 가슴을 두근거리며 부엌 안을 기웃기웃 살폈어요. 그러자 방안에서 또 "기웃기웃 살핀다." / "기웃기웃 살핀다." / 하는 거예요.

마침 할머니가 부뚜막에 누룽지 뭉치를 놓아둔 것이 보였어요. 배가 고팠던 도둑이 누룽지를 콕 집어 입에 넣었어요.

"콕 집어 먹는다." / "콕 집어 먹는다."

도둑은 그만 ㉠간이 콩알만 해졌어요. 누군가 다 보고 있다고 생각했거든요.

방 안에서는 또다시 할아버지의 큰 목소리가 들렸어요.

"예끼, 이놈!" / "예끼, 이놈!"

할머니도 따라 했어요.

도둑은 그만 날 살려라 담을 훌쩍 넘어 달아났어요.

「훨훨 간다」 권정생

21 ㉠에서 알 수 있는 도둑의 마음은? ⸻⸻⸻⸻ ( )

① 아주 재미있다.

② 몹시 무섭고 걱정된다.

③ 갑자기 호기심이 생긴다.

④ 아무 걱정 없이 행복하다.

⑤ 신경 쓰여서 참을 수 없다.

22 도둑이 도망간 까닭은? ⸻⸻⸻⸻ ( )

① 할아버지와 할머니가 도둑을 보고 놀라서

② 도둑이 딱딱한 누룽지를 먹다가 이를 다쳐서

③ 도둑이 부엌 안을 살피다가 냄비를 떨어뜨려서

④ 할아버지와 할머니가 도둑의 행동을 보는 것처럼 말하여서

⑤ 빨간 코 농부가 할아버지와 할머니 대신 집을 지키고 있어서

23 다음 문자 대화에서 ㉠을 알맞게 고친 것은? ⟶ (　　　)

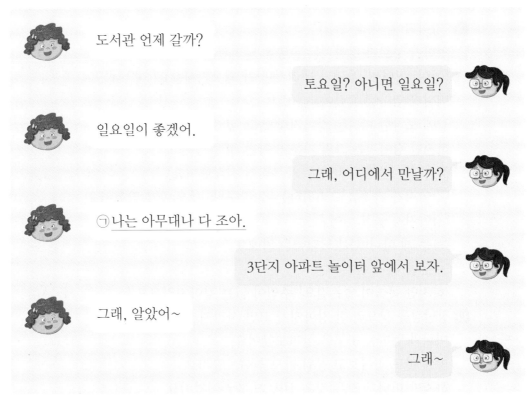

도서관 언제 갈까?

토요일? 아니면 일요일?

일요일이 좋겠어.

그래, 어디에서 만날까?

㉠나는 아무대나 다 조아.

3단지 아파트 놀이터 앞에서 보자.

그래, 알았어~

그래~

① 난 암대나 좋아.
② 난 아무데나 좋와.
③ 나는 아무대나 다 조하!
④ 나는 아무 데나 다 좋아.
⑤ 너는 아무 대나 다 좋냐?

24 밑줄 그은 말 중에서 받침이 나머지 넷과 다르게 소리 나는 것 하나는? ⟶ (　　　)
① 표정이 밝아서 보기 좋습니다.
② 보름달이 무척 밝아 눈이 부십니다.
③ 책을 읽으려면 밝은 방으로 가세요.
④ 형광등이 오래되어서 밝지 않습니다.
⑤ 비 내리는 밤에는 밝은 색 우산을 쓰세요.

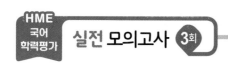

25 미니가 겪은 일과 비슷한 경험을 말한 친구는? ·······( )

> **가** "강아지야, 이리 오렴!"
> 엄마가 부르자 강아지는 총총총 달려왔어요.
> "아이, 귀여워! 우리가 데려가면 안 돼요? 제발요! 네? 네?"
> 미니가 엄마를 졸랐어요.
> 집에 도착한 미니는 강아지랑 놀고 싶었어요.
> 하지만 강아지는 그럴 기분이 아닌 것 같았어요.
> 강아지는 집에 와서 우우 울부짖기 시작했어요.
> "강아지가 가족을 그리워하는 것 같구나." / 엄마가 말했어요.
> "강아지가 울고 있어."
> "우는 게 아니에요! 노래하는 거예요."
> "주인을 찾아 줘야 해."
> "하지만 목줄이 없는걸요! 주인이 없는 강아지라고요."
>
> **나** 장난감을 찾으러 간 강아지가 그만 사라져 버렸어요.
> 미니와 엄마는 곳곳을 살펴보았어요.
> 공원 안도 찾아보고 공원 밖도 찾아보았지요.
> 하지만 미니가 찾은 것은 신발 한 짝뿐이었어요.
> "그 강아지 신발이구나." / 엄마가 말했어요.
> "어디 있는 거니, 멍멍아?" / 미니는 눈물이 났어요.
> 다음 날, 엄마는 미니를 데리고 동물 보호소를 찾아갔어요. 다행히도 동물 보호소에 강아지가 있었어요.
> "멍멍아!" / 미니는 주저앉아 강아지를 꼭 끌어안았어요.
> 그러고는 강아지를 데리고 집으로 돌아갔어요.
> 이제야 미니는 깨달았어요. 누군가가 이 강아지를 매우 그리워하고 있을 거라는 걸요.
>
> 「신발 신은 강아지」 고상미

① 다미: 생일 선물로 강아지 인형을 받았습니다.

② 혜진: 동생을 갖고 싶다고 부모님을 졸랐습니다.

③ 세영: 고양이를 목욕시킬 때 엄마를 도와드렸습니다.

④ 고은: 공원에서 신발 한 짝을 잃어버려서 꾸중을 들었습니다.

⑤ 우식: 주인 없는 책을 주워서 내가 갖고 싶었지만, 잃어버린 사람을 위해 선생님께 드렸습니다.

26 ㉠에 들어갈 내용으로 알맞은 것은? ································ (   )

인상 깊었던 일을 글로 쓰기 전에 쓸 내용 떠올리기	
글감 소개	친구와 함께 로봇을 조립했던 일
▼	
첫 번째 겪은 일	친구가 조립식 로봇 장난감을 가져왔습니다.
▼	
두 번째 겪은 일	저는 팔을 만들고 친구는 다리를 만들었습니다.
▼	
세 번째 겪은 일	친구와 힘을 합쳐 몸통까지 완성했습니다.
▼	
㉠	혼자서는 다 못했을 텐데 같이 완성해서 뿌듯하고 기뻤습니다.

① 제목   ② 언제
③ 어디에서   ④ 생각이나 느낌
⑤ 네 번째 겪은 일

27 문장 부호의 이름과 쓰임을 잘못 설명한 것은? ················ (   )

①
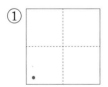
마침표 – 문장의 끝에 쓴다.

②

쉼표 – 부르는 말 다음에 쓴다.

③
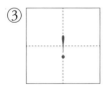
느낌표 – 묻는 문장의 끝에 쓴다.

④
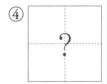
물음표 – 묻는 문장의 끝에 쓴다.

⑤

큰따옴표 – 인물이 한 말의 시작과 끝에 쓴다.

28 서준이가 친구를 소개하는 글을 쓰기 위해 만든 표입니다. 빈칸에 들어갈 내용으로 알맞은 것은? ·······(   )

서준

이름	이승원
성별	남자아이
가족	아빠와 엄마, 누나와 함께 산다.
모습	다른 친구들보다 키가 크고, 얼굴이 가무잡잡하다.
좋아하는 음식	떡볶이와 순대를 좋아한다.
좋아하는 운동	축구와 달리기를 좋아한다.
잘하는 것	우리 반에서 축구를 가장 잘한다.
장래 희망	

① 줄넘기를 아주 잘한다.
② 햄버거와 피자를 아주 좋아한다.
③ 다른 아이들보다 손과 발이 아주 크다.
④ 만화책을 보면서 따라 그리는 것을 좋아한다.
⑤ 훌륭한 축구 선수가 되어 국가 대표가 되고 싶어 한다.

29 ㉠과 ㉡에 들어갈 알맞은 흉내 내는 말 두 가지는? ⋯⋯⋯⋯⋯⋯⋯⋯⋯ (   )

옛날 어느 마을에 사이좋은 형제가 살고 있었지요. 형제는 서로 도와주며 ┌㉠┐ 정답게 지냈어요.

곳간에 ┌㉡┐ 쌓인 볏단을 가만히 바라보던 형은 동생 집에 볏단을 가져다 놓기로 했어요.

① ㉠ 쌩쌩   ㉡ 무럭무럭

② ㉠ 찰칵   ㉡ 깡충깡충

③ ㉠ 오순도순   ㉡ 차곡차곡

④ ㉠ 뭉게뭉게   ㉡ 빙글빙글

⑤ ㉠ 슬금슬금   ㉡ 갸우뚱갸우뚱

30 빈칸에 들어갈 알맞은 답은? ⋯⋯⋯⋯⋯⋯⋯⋯⋯⋯⋯⋯⋯⋯⋯⋯⋯⋯⋯⋯ (   )

질문	대답
동물인가요?	예, 동물입니다.
하늘에 사나요?	아니요, 땅 위에 삽니다.
다리는 네 개인가요?	예, 다리가 네 개입니다.
무슨 글자로 끝나나요?	예, '지' 자로 끝납니다.
'꿀꿀' 소리를 내나요?	아니요, '멍멍' 소리를 냅니다.
☐ 입니다.	예, 맞습니다.

① 돼지   ② 염소   ③ 강아지

④ 송아지   ⑤ 망아지

실전 모의고사 4회

[01~02] 다음을 보고 물음에 답하시오.

① ㉠고마워.

② 미안해.

③ 참 착하구나.

④ 참 친절해.

01 그림 ①~④에 대한 설명으로 알맞지 않은 것은? ·· (   )

① 그림 ①~④에 나타나 있는 말은 모두 '고운 말'이다.

② 그림 ③의 여자아이가 할머니를 도와드리면서 참 착하다고 하였다.

③ 그림 ④에서 친구가 물 나르는 것을 도와주자 참 친절하다고 하였다.

④ 그림 ①의 여자아이가 공을 주워 주어서 남자아이가 고맙다고 하였다.

⑤ 그림 ②의 여자아이가 책을 떨어뜨려서 남자아이에게 미안하다고 하였다.

02 친구에게 ㉠을 쓸 만한 상황으로 보기 어려운 것은? ································ (   )

① 친구가 숙제를 도와주었을 때

② 친구가 재미있는 책을 빌려주었을 때

③ 친구가 나의 좋은 점을 칭찬해 주었을 때

④ 친구가 내 물건을 빌리고 나서 돌려주지 않을 때

⑤ 친구가 내 옷을 보고 잘 어울린다고 말해 주었을 때

▶ 정답과 풀이 22 ～ 24쪽

03 수지가 정우에게 한 말을 알맞게 고친 것은? ·················· (   )

① 음······, 못 그렸네.

② 네가 그린 것 맞아?

③ 나보다는 못하지만 잘 그리네.

④ 나도 네 크레파스만 빌리면 잘 그릴 수 있어.

⑤ 정말 소영이 말대로 색깔을 잘 골랐구나. 대단해!

04 다음 낱말 카드가 어떻게 소리 나는지 <u>잘못</u> 쓴 것은? ·················· (   )

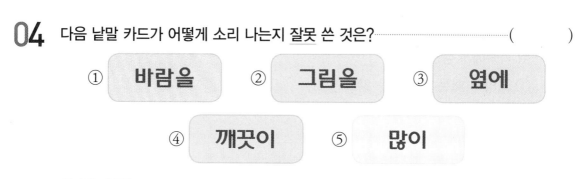

① [바라믈]

② [그리믈]

③ [엽에]

④ [깨끄시]

⑤ [마니]

[05~06] 다음 글을 읽고 물음에 답하시오.

평화로운 시골집 곳간에 쥐 가족이 북적거리며 살고 있었습니다.

그러던 어느 날, 타고난 사냥꾼인 고양이가 와서 쥐 가족 가운데 한 마리를 잡아 갔습니다.

다음 날도 또 그다음 날도 고양이는 문 입구에서 쥐가 나오기를 기다리고 있었습니다.

쥐들은 고양이가 무서워 집 밖으로 나갈 수가 없었습니다.

고양이가 떠나기를 기다리다 집 안에 있는 먹이를 다 먹어 버렸습니다.

그래서 고양이 몰래 먹이를 구하러 가려고 했지만, 그때마다 고양이에게 잡혀가고 말았습니다.

고양이가 쥐를 날마다 잡아 가자 할아버지 쥐는 가족회의를 열었습니다.

"어제 또 우리 가족이 고양이에게 잡혀갔습니다. 더 이상 우리 가족을 잃을 수는 없습니다."

"어떻게 하면 좋을까요?"

모두 좋은 방법이 떠오르지 않았습니다.

그때 첫째 쥐가 말했습니다.

"이사를 가면 어때요? 이웃 마을에는 고양이가 없을 거예요."

그러자 둘째 쥐가 말했습니다.

"이삿짐 싸기가 힘들잖아요. 차라리 한 명씩 돌아가며 망을 보면 어때요?"

가만히 듣고 있던 셋째 쥐가 말했습니다.

"고양이 목에 방울을 달면 어때요?   ㉮   빨리 도망갈 수 있잖아요."

05 쥐 가족에게 생긴 문제는? .... (   )

① 고양이 때문에 가족을 잃고 있다.

② 가뭄이 들어 먹이를 구할 수 없다.

③ 집 주인 때문에 집을 떠나야 한다.

④ 알 수 없는 병 때문에 가족을 잃고 있다.

⑤ 먹이가 너무 많아 저장할 곳이 부족하다.

06 ㉮ 에 들어갈 내용으로 알맞은 것은? .... (   )

① 방울이 무거우니까

② 고양이가 불편할 테니까

③ 고양이가 깊이 잠들 테니까

④ 방울에서 눈부신 빛이 나니까

⑤ 고양이가 움직일 때마다 소리가 나니까

[07~08] 다음 글을 읽고 물음에 답하시오.

일요일 아침, 어머니 방에 머리 방울을 찾으러 갔다. 머리 방울을 들고 나오다가 달력에 '생일'이라고 쓰여 있고 동그라미가 표시된 것을 보았다.

'누구 생일이지?' 하고 생각하다가 깜짝 놀랐다. 어머니 생신이었다.

'무슨 선물을 드리지?' 하고 생각하다가 어머니 얼굴을 정성껏 그려 드리기로 했다. 어머니 얼굴 그림을 그리는 것이 어려웠다. 하지만 어머니께서 기뻐하실 거라고 생각하며 내 방에서 어머니 얼굴 그림을 열심히 그렸다.

점심을 먹고 나서 어머니 얼굴 그림과 "어머니, 생신 축하드려요."라고 쓴 생신 축하 쪽지를 들고 어머니 방에 갔다. 어머니께서는 내 선물을 보시더니,

"가은아, 고마워! 정말 잘 그렸네."라고 하시며 나를 꼭 껴안아 주셨다.

내가 준비한 선물을 받은 어머니께서 기뻐하셔서 정말 뿌듯하고 기분이 좋았다. 어머니의 다음 생신 때도 정성이 담긴 선물을 드려야겠다.

07 가은이가 어머니께 생신 선물로 드린 것은?──────────(   )
① 반짝이는 머리핀
② 어머니를 닮은 인형
③ 가은이가 아끼던 인형
④ 어머니의 얼굴을 그린 그림
⑤ 가은이가 읽고 싶어 했던 책

08 가은이가 일기를 쓴다면 붙일 제목으로 어울리는 것은?──────────(   )
① 그림은 어려워
② 나의 생일잔치
③ 학교에 가기 싫어
④ 어머니, 생신 축하드려요
⑤ 내가 받고 싶은 생일 선물

[09~10] 다음을 보고 물음에 답하시오.

가 민수가 쓴 글

이번 달의 제 짝은 남자아이입니다. 어제 저와 함께 줄넘기를 하고 놀았습니다. 줄넘기를 하면 몸이 튼튼해져서 좋습니다. 제 짝은 매일 아침 운동장에서 달리기를 합니다. 제 짝은 잘하는 것이 많습니다.

나 나영이가 쓴 글

이번에 새로 제 짝이 된 친구는 정하윤입니다. 하윤이는 키가 크고 눈썹이 진합니다. 하윤이는 종이접기를 좋아해서 색종이를 항상 가지고 다닙니다. 하윤이는 달리기를 잘합니다. 우리 반 아이들 가운데에서 가장 빠릅니다.

다 친구들이 소개한 것

	민수	나영
이름	×	○
성별	○	×
모습	×	○
좋아하는 것	×	○
잘하는 것	×	○

 민수

 나영

09 민수와 나영이가 쓴 글의 내용으로 <u>틀린</u> 것은? ·········( )

① 민수의 짝은 남자아이이다.
② 나영이의 짝은 눈썹이 진하다.
③ 나영이의 짝의 이름은 정하윤이다.
④ 나영이의 짝은 그림 그리기를 좋아한다.
⑤ 민수의 짝은 매일 아침 운동장에서 달리기를 한다.

10 **가**~**다**로 보아, 민수와 나영이가 고칠 점을 <u>잘못</u> 말한 것은?
·········( )

① 민수는 필요 없는 내용을 빼고 써야 한다.
② 민수는 소개하는 사람의 이름이 무엇인지 써야 한다.
③ 나영이는 소개하는 사람의 성별을 알 수 있게 고쳐야 한다.
④ 민수는 소개하는 사람이 무엇을 잘하는지 알 수 있게 써야 한다.
⑤ 나영이는 짝을 소개하는 글을 아주 잘 썼기 때문에 고칠 점이 하나도 없다.

아무리 작은 숲이라도 우리 곁에 있다면 행복한 것입니다. 누구나 숲으로부터 크고 작은 도움을 받을 수 있거든요. 그래서 우리는 숲을 아끼고 잘 가꾸어야 합니다.

그럼 이제 숲이 우리에게 어떤 도움을 주는지 알아볼까요?

첫째, 숲속의 식물은 스스로 맑은 공기를 만들어 냅니다. 그래서 숲속에서는 시원하고 깨끗한 공기를 마실 수 있어 건강을 지킬 수 있습니다.

둘째, 숲은 큰비가 내려도 흙이 잘 쓸려 나가지 않아 산사태를 예방해 줍니다. 나무가 쓰러지지 않기 위해 흙 속에 뿌리를 단단히 고정하고 있기 때문입니다. 흙이 도망가지 못하게 잔뿌리들이 흙을 잡아 두고 있지요. 그리고 숲에 쌓여 있는 낙엽은 빗물에 흙이 쓸려 가는 것을 막아 주지요.

셋째, 숲은 사람의 마음을 편안하게 해 줍니다. 숲의 초록 빛깔은 사람의 마음을 가장 편안하게 해 주는 색깔이라고 해요. 그리고 나무들이 벌레로부터 몸을 보호하기 위해 내뿜는 향기가 사람의 마음을 편안하게 해 줍니다.

숲은 우리에게 많은 도움을 줍니다. 숲이 우리에게 주는 도움은 돈을 주고도 살 수 없는 것들이에요. 그래서 숲이 사라지지 않도록 아끼고 잘 가꾸어야 해요.

㉠우리 친구들 모두 숲을 잘 지키고 가꿀 수 있도록 함께 노력해요!

『나무들이 재잘거리는 숲 이야기』 김남길

11 글쓴이가 하고 싶은 말로 보기 <u>어려운</u> 내용은? ·········· (   )

① 숲은 산사태를 예방해 준다.
② 숲 덕분에 가구를 만들 수 있다.
③ 숲은 우리에게 많은 도움을 준다.
④ 우리는 숲을 아끼고 잘 가꾸어야 한다.
⑤ 숲속의 식물은 맑은 공기를 만들어 낸다.

12 ㉠을 실천할 수 있는 방법으로 알맞지 <u>않은</u> 것은? ·········· (   )

① 식목일에 나무를 심는다.
② 숲에 있는 식물을 꺾지 않는다.
③ 숲에 불이 나지 않도록 조심한다.
④ 숲속에서 야영할 때 고기를 구워 먹는다.
⑤ 등산을 갈 때 먹을 음식을 도시락으로 준비한다.

[13~14] 다음을 보고 물음에 답하시오.

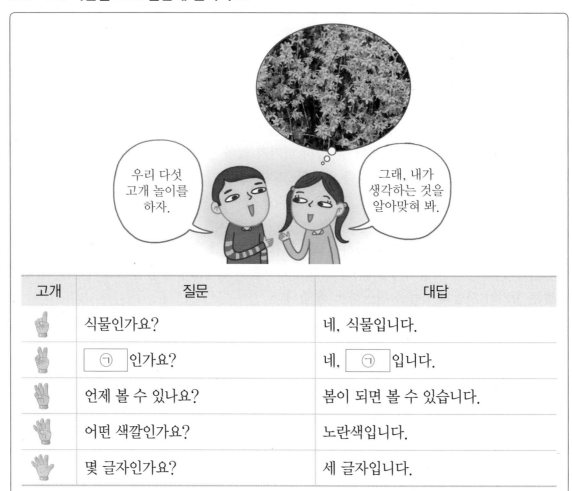

고개	질문	대답
☝	식물인가요?	네, 식물입니다.
✌	㉠ 인가요?	네, ㉠ 입니다.
🖐	언제 볼 수 있나요?	봄이 되면 볼 수 있습니다.
🖐	어떤 색깔인가요?	노란색입니다.
🖐	몇 글자인가요?	세 글자입니다.

13 ㉠ 에 들어갈 낱말로 알맞은 것은?⋯⋯⋯⋯⋯⋯⋯⋯⋯⋯⋯⋯ (   )

① 돈　　　　　　② 꽃　　　　　　③ 동물
④ 과일　　　　　⑤ 물건

14 이 다섯 고개 놀이의 정답은?⋯⋯⋯⋯⋯⋯⋯⋯⋯⋯⋯⋯⋯⋯⋯ (   )

① 목련　　　　　② 진달래　　　　③ 개나리
④ 무궁화　　　　⑤ 코스모스

[15~16] 다음 글을 읽고 물음에 답하시오.

사람은 음식을 먹어서 몸을 움직일 에너지를 얻습니다. 이렇게 에너지를 얻는 과정에서 사람의 몸에는 열이 생깁니다.

사람은 일정한 체온을 유지하기 위해 숨을 쉬는 과정이나, 피부를 통해 열을 내뿜고 있습니다. 이때 체온보다 주변 온도가 낮으면 몸의 열이 쉽게 빠져나갑니다. 하지만 주변 온도가 체온과 비슷해지면 열의 이동이 잘 일어나지 않기 때문에 열이 몸 안에 머물게 됩니다. 이런 경우에 사람은 더위를 느끼게 됩니다.

사람의 몸에서는 크게 덥지 않은 날에도 땀이 나오는데, 이런 날에는 아주 작은 크기의 땀이 피부에서 나오자마자 마르기 때문에 사람의 눈에는 보이지 않습니다.

그런데 이러한 과정으로도 열을 제대로 내보내지 못해 체온이 점점 높아지면, 몸에서 나오는 땀의 양이 많아집니다. 평소에 눈에 보일 틈도 없이 금방 마르던 작은 크기의 땀들이 물방울처럼 뭉쳐지게 되는데 이것을 '　㉮　'이라고 부릅니다.

15 이 글의 내용을 잘못 이해한 것은?─────────────────────(　)

① 사람의 몸은 일정한 체온을 유지하려고 한다.
② 사람은 숨을 쉬는 과정에서도 열을 내뿜는다.
③ 사람은 음식을 먹어서 움직일 에너지를 얻는다.
④ 사람의 피부에서는 아주 더울 때에만 땀이 난다.
⑤ 사람의 몸은 덥지 않아도 눈에 보이지 않는 아주 작은 땀을 내보낸다.

16 글의 내용으로 보아 ㉮ 에 들어갈 낱말로 가장 알맞은 것은?─────────(　)

① 땀띠　　　　　　② 땀내　　　　　　③ 땀들
④ 땀방울　　　　　⑤ 땀자국

17 현진이가 쓴 글에 대한 평가로 알맞지 <u>않은</u> 것은? ································ (   )

① 현진이가 고민한 문제에 알맞은 글을 썼다.

② 현진이의 생각을 분명하게 알 수 있는 글이다.

③ 알맞은 까닭을 쓰지 않고 자신의 생각만 쓴 글이다.

④ 현진이가 왜 그렇게 생각하는지에 대해 잘 쓴 글이다.

⑤ 현진이의 생각대로 하면 물건을 잃어버린 친구들에게 쉽게 찾아 줄 수 있을 것이다.

[18~19] 다음 시를 읽고 물음에 답하시오.

풀이래요

손동연

아빠는
날 보고
강아지풀이래요.
아빠 뒤만
졸래졸래
따라다닌다고
– ㉠아이고,
　요 귀연 강아지풀아!
그래요.

엄마는
날 보고
도깨비바늘이래요.
엄마에게
꼬옥 붙어
안 떨어진다고
– ㉡아유,
　요 예쁜 도깨비바늘아!
그래요.

내가
풀이면
엄마 아빤 들판이지 뭐.
날 안아 주시는 …….

18 ㉠과 ㉡을 읽는 목소리로 어울리는 것은? ·············· (　　　)

① 바람 같은 목소리
② 아이 같은 목소리
③ 도깨비 같은 목소리
④ 강아지 같은 목소리
⑤ 아빠와 엄마를 흉내 낸 목소리

19 엄마, 아빠를 들판이라고 표현한 까닭은? ·············· (　　　)

① 강아지풀이 아빠 뒤를 따라다녀서
② 부모님이 날 길러 주셨으면 좋겠어서
③ 도깨비바늘이 뿌리에 꼬옥 붙어 안 떨어져서
④ 강아지풀이나 도깨비바늘은 들판에 살지 않아서
⑤ 부모님이 나를 길러 주시는 것이 들판에 풀이 자라는 것과 비슷해서

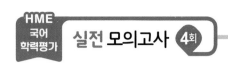
20 다음 이야기에서 거인의 성격 변화를 알맞게 나타낸 것은? ·········· (   )

> **가** 아이들은 학교가 끝나면 모두 정원에 가서 놀았어요.
> "여기서 놀면 정말 행복해!"
> 아이들은 정원을 무척이나 사랑했어요.
> 정원의 주인은 무시무시한 거인이었어요. 거인이 멀리 있는 친구를 만나러 갔다가 집에 돌아와 보니 정원은 아이들 차지가 되어 있었어요.
> "이 녀석들, 당장 나가라!"
> 화가 난 거인이 쩌렁쩌렁 울리게 고함을 지르자 아이들은 놀라서 후다닥 달아나 버렸어요.
> "이 정원은 내 거야. 아무도 내 정원에 들어오지 못하게 해야지."
> 거인은 투덜거리며 정원에 높은 담을 둘러쳤어요.
>
> **나** 겨울이 지나고 봄이 찾아왔어요. 산과 들에 파릇파릇 새싹이 돋고 예쁜 꽃들이 피어났지요. 그런데 이상하게도 거인의 정원은 여전히 겨울이었어요.
> 거인은 궁금한 표정으로 창밖을 내다보았어요.
> "봄이 왜 이렇게 늦게 오는 거야?"
> 하지만 아무리 기다려도 봄은 오지 않았어요. 여름도 오지 않고, 가을도 오지 않고 언제나 겨울이었어요.
>
> **다** "아, 정원에 봄이 오지 않았던 까닭을 이제야 알았어."
> 거인은 부끄러운 듯 고개를 푹 숙이고 중얼거렸어요.
> "내가 나빴어. 그동안 나는 참 욕심쟁이였어."
> 거인은 현관문을 열고 정원으로 나갔어요.
> "앗, 거인이다!" / 아이들은 겁을 먹고 뿔뿔이 달아나 버렸어요.
> 거인은 정원 구석에 남아 있던 작은 아이의 뒤로 살금살금 다가가 살며시 아이를 안아 나무 위에 앉혀 주었어요. 그 순간 나무가 꽃망울을 활짝 터뜨리고 새들이 날아와 즐겁게 노래를 불렀어요. 그러자 달아났던 아이들이 모두 정원으로 돌아왔어요.
> 거인은 환하게 웃으며 아이들에게 말했어요.
> "얘들아, 이제부터 여긴 너희 거야."
>
> 「거인의 정원」 오스카 와일드

① 게으르다. ➡ 부지런하다.
② 친절하다. ➡ 쉽게 화를 낸다.
③ 말수가 적다. ➡ 수다스럽다.
④ 걱정이 많다. ➡ 항상 즐거워한다.
⑤ 심술궂고 욕심이 많다. ➡ 너그럽고 착하다.

[21~22] 다음 이야기를 읽고 물음에 답하시오.

> **가** 옛날, 어느 마을에 몹시 게으른 사람이 살았어요. 모두 눈코 뜰 새 없이 바쁜 농사철에도 게으름뱅이는 온종일 방에서 뒹굴뒹굴 놀기만 했지요. 일 하라는 아내의 잔소리가 듣기 싫어서 게으름뱅이는 집을 나가기로 마음먹었어요.
>
> 며칠 뒤, 집을 나온 게으름뱅이는 어느 초가집 앞을 지나게 되었어요. 그런데 노인이 마루에 앉아 쇠머리처럼 생긴 탈을 만들고 있었어요.
>
> "영감님, 그걸 어디에다 쓰려고 만드십니까?"
>
> "허허허, 이 탈은 일하기 싫어하는 사람이 쓰면 아주 좋은 일이 생기는 탈이라네."
>
> 신기하게 여긴 게으름뱅이는 쇠머리 탈을 얼굴에 써 보았어요.
>
> **나** 노인은 소가 된 게으름뱅이를 끌고 장터로 가서 농부에게 팔았어요.
>
> "이 소는 무를 먹으면 곧 죽어 버리니 무밭에는 절대로 못 가게 하시오."
>
> "무를 먹으면 죽는다니, 거참 별난 소도 다 있구려!"
>
> 소가 된 게으름뱅이는 농부네 집으로 오자마자 하루 종일 힘들게 일했지요.
>
> 저녁때가 되자 너무너무 힘들고 배가 고팠어요. 하지만 농부가 가져다준 뻣뻣한 쇠죽은 먹을 수가 없었지요.
>
> '내가 그동안 너무 게으름을 피웠어. 진작 열심히 일하면서 살걸……'
>
> 소가 된 게으름뱅이는 빈둥빈둥 놀기만 했던 지난날이 후회스러웠어요.
>
> 『소가 된 게으름뱅이』 한은선 엮음

21 소가 된 게으름뱅이에게 말해 줄 속담으로 알맞은 것은? ( )

① 우물 안 개구리
② 소 잃고 외양간 고친다
③ 천 리 길도 한 걸음부터
④ 가는 말이 고와야 오는 말이 곱다
⑤ 낮말은 새가 듣고 밤말은 쥐가 듣는다

22 글 **가**와 **나** 사이에 들어갈 내용으로 알맞지 <u>않은</u> 것은? ( )

① 소가 된 게으름뱅이는 재빨리 무밭으로 뛰어들었어요.
② 눈 깜짝할 새에 소가 된 게으름뱅이는 소리를 지르며 버둥거렸어요.
③ 어찌 된 일인지 쇠머리 탈은 얼굴에 착 달라붙어 떨어지지 않았어요.
④ 그러자 노인이 기다렸다는 듯 게으름뱅이의 등에 쇠가죽을 척 씌웠지요.
⑤ 깜짝 놀란 게으름뱅이가 펄쩍펄쩍 뛰며 안간힘을 썼지만 탈은 꿈쩍도 하지 않았어요.

23 밑줄 그은 낱말의 쓰임이 바르지 <u>않은</u> 문장은? ·································· (　　　)

① 작년에 전학 간 친구의 이름을 <u>잊어버렸다</u>.

② 친구와 한 약속을 <u>잊어버려서</u> 친구가 화를 냈다.

③ 책을 사려고 모아 놓은 돈을 <u>잃어버려서</u> 걱정됐다.

④ 텔레비전을 보느라 숙제하는 것을 까맣게 <u>잃어버렸다</u>.

⑤ 밖에서 그림을 그리다가 주황색 크레파스를 <u>잃어버렸다</u>.

24 ㉮ 에 쓸 내용으로 알맞은 것은? ·································· (　　　)

20○○년 10월 15일 금요일	날씨: 맑음

가족 야영

　지난 추석에 우리 가족은 야영을 했다. 야영장에 천막을 치고 공놀이를 했다. 해가 지자 접시를 꺼내 음식 준비를 했다. 저녁으로 주먹밥을 먹었다. 저녁을 먹고 나서 노래를 부르며 놀았다. 　　　㉮　　　 즐거운 하루였다.

① 저녁으로 라면도 끓여 먹었다.

② 놀다가 넘어져서 병원에 갔다.

③ 놀고 나서 씻고 천막에 들어갔다.

④ 음식 준비를 하면서 끝말잇기를 했다.

⑤ 천막을 치는 게 너무 힘들어서 잠깐 쉬었다.

25 밑줄 그은 낱말을 알맞게 소리 내어 읽지 못한 것은? ···················· (   )

① 추석날 보름달이 무척 밝습니다.
  [보름딸]

② 동생과 강가에서 놀러 갔습니다.
  [강까]

③ 멸치 주먹밥을 맛있게 먹었습니다.
  [주먹빱]

④ 전통 시장에 가서 낙지를 보았습니다.
  [낙지]

⑤ 비가 오지 말라고 마음속으로 빌었습니다.
  [마음쏙]

26 알맞은 문장이 되도록 ㉠~㉣을 순서대로 늘어놓은 것은? ·············· (   )

일요일 아침에 ㉠카레를 ㉡먹고 ㉢맛있는 ㉣싶습니다.

① ㉠ - ㉡ - ㉢ - ㉣
② ㉠ - ㉣ - ㉢ - ㉡
③ ㉢ - ㉠ - ㉣ - ㉡
④ ㉢ - ㉠ - ㉡ - ㉣
⑤ ㉣ - ㉠ - ㉡ - ㉢

27 준하가 짝을 소개하는 글을 쓰려고 합니다. ㉠~㉤에 들어갈 내용 중, 알맞지 않은 것은?

.... (   )

㉠	박동훈
성별	㉡
모습	㉢
㉣	독서를 좋아함.
㉤	글쓰기를 잘함.

① ㉠ – 이름

② ㉡ – 남자아이

③ ㉢ – 키가 크고 머리가 짧음.

④ ㉣ – 좋아하는 것

⑤ ㉤ – 잘하는 것

28 맞춤법에 맞지 않는 낱말을 바르게 고친 것은? ·· (   )

①
저의 꾸믄 과학자가 되는 것입니다.
→ 꾸믄

②
토요일날 친구네 지베 놀러 갔습니다.
→ 짚에

③
여르메 바다로 여행을 가기로 했습니다.
→ 여름에

④
학교에 가는 기레 선생님을 만났습니다.
→ 기래

⑤
의자에 바르게 안자서 기다리고 있습니다.
→ 앉저서

29 |보기|와 같이 흉내 내는 말이 들어간 문장이 아닌 것은? ·········· (   )

┤보기├

동물원에서 엉금엉금 기어가는 거북을 보았습니다.

① 봄이 되어 파릇파릇 새싹이 돋아납니다.
② 자동차가 부르릉부르릉 움직이기 시작합니다.
③ 어머니께서 해 주신 맛있는 카레를 먹었습니다.
④ 엄마 오리와 아기 오리가 뒤뚱뒤뚱 지나갑니다.
⑤ 파란 하늘에 하얀 구름이 뭉게뭉게 떠 있습니다.

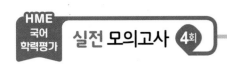
30 빈칸에 들어갈 문장이 무엇인지 그 종류와 함께 바르게 나타낸 것은?·············(   )

옛날옛날, 깊고 깊은 산골에 팥죽 할머니가 살았어. 맛난 팥죽을 팔팔 잘도 끓여서 팥죽 할머니야. 어느 봄날, 팥죽 할머니가 밭에서 김을 매는데 아 글쎄, 집채만 한 호랑이가 어슬렁어슬렁 나타난 거야.

호랑이: (할머니 옆으로 다가가면서) 어흥, 어흥.
할머니: (깜짝 놀라 뒤로 넘어지며) [   ]
호랑이: (두 발을 위로 올렸다 내리며 잡아먹는 시늉을 하며) 어흥, 할멈을 꿀꺽 잡아먹어야겠다.
할머니: (앉은 자리에서 뒤로 물러나며) 호랑이야, 지금 잡아먹는 것보다는 눈 내리는 겨울날, 너도 먹을 게 없을 때 맛난 팥죽 실컷 먹고 나서 나를 잡아먹으렴.
호랑이: 으흠, 그게 좋겠군. 어흥. (고개를 끄덕거린 뒤, 뒤로 돌아 사라진다.)

호랑이는 흐뭇하다는 듯이 고개를 끄덕이면서 숲속으로 사라졌어.

쨍쨍 여름이 지나고 가을도 지나고 펄펄 눈이 내려 하얀 겨울이 되었어. 팥죽 할머니는 커다란 가마솥에 팥죽을 팔팔 끓이면서 꺼이꺼이 울었어. 그때 알밤이 폴짝폴짝 통통 뛰면서 할머니를 찾아왔어.

알 밤: (밝고 명랑한 목소리로) 할머니, 할머니, 팥죽 할머니, 뭣 때문에 우는 거유?
할머니: (힘없는 목소리로) 이 팥죽 먹고 나면 호랑이가 꿀꺽 잡아먹는다니, 에구에구 어찌할꼬.
알 밤: 맛있는 팥죽 한 그릇 주면 못 잡아먹게 해 주지.

할머니가 척척 팥죽 한 그릇을 퍼 주자 알밤은 후루룩 다 먹고는 아궁이 속에 쏙 숨었어. 그다음엔 뾰족뾰족 송곳이 깡충깡충 콩콩 뛰어와서 묻는 거야.

「팥죽 할멈과 호랑이」 김윤자 각색 · 연출

① 묻는 문장 – 안녕?
② 풀이하는 문장 – 누구세요?
③ 풀이하는 문장 – 호랑이구나.
④ 감탄을 나타내는 문장 – 반가워.
⑤ 감탄을 나타내는 문장 – 에구머니나!

HME 해법국어 학력평가

학 교 명 :
성 명 :
현재 학년 :   반 :

OMR카드 작성 시 유의사항

1. 학교명, 성명, 학년, 반, 수험 번호, 생년월일, 성별 기재
2. 반드시 원 안에 "●"와 같이 마킹해야 합니다.
3. OMR카드에 답안 이외에 낙서 등 손상이 있는 경우 즉시 감독관에게 문의하시기 바랍니다.
4. 답을 작성하고 마킹을 하지 않는 경우 오답으로 간주합니다.
5. 답안은 작성 후 반드시 감독관에게 제출해야 합니다.
   제출하지 않아 발생하는 사고에 대해서는 책임지지 않습니다.

※ OMR카드를 잘못 작성하여 발생한 성적 결과는 책임지지 않습니다.

답 란

1	① ② ③ ④ ⑤
2	① ② ③ ④ ⑤
3	① ② ③ ④ ⑤
4	① ② ③ ④ ⑤
5	① ② ③ ④ ⑤
6	① ② ③ ④ ⑤
7	① ② ③ ④ ⑤
8	① ② ③ ④ ⑤
9	① ② ③ ④ ⑤
10	① ② ③ ④ ⑤
11	① ② ③ ④ ⑤
12	① ② ③ ④ ⑤
13	① ② ③ ④ ⑤
14	① ② ③ ④ ⑤
15	① ② ③ ④ ⑤
16	① ② ③ ④ ⑤
17	① ② ③ ④ ⑤
18	① ② ③ ④ ⑤
19	① ② ③ ④ ⑤
20	① ② ③ ④ ⑤
21	① ② ③ ④ ⑤
22	① ② ③ ④ ⑤
23	① ② ③ ④ ⑤
24	① ② ③ ④ ⑤
25	① ② ③ ④ ⑤
26	① ② ③ ④ ⑤
27	① ② ③ ④ ⑤
28	① ② ③ ④ ⑤
29	① ② ③ ④ ⑤
30	① ② ③ ④ ⑤

수험번호

(1)
(2) ⓪①②③④⑤⑥⑦⑧⑨

감독확인란

생년월일 / 성별

(1)
(2) ⓪①②③④⑤⑥⑦⑧⑨

성별: 남 ○ 여 ○

※ ( )번 란에는 아래에 숫자로 쓰고, (2)번 란에는 해당란에 까맣게 표기해야 합니다.

(예시) 2012년 3월 2일생인 경우, (1)번 란 년 월 일 마다 빈칸에 12 03 02를 쓰고,
(2)번 란에는 그 숫자를 마킹합니다.

매일 조금씩 **공부력 UP**

똑똑한 하루
독해&어휘

쉽다!

10분이면 하루치 공부를 마칠 수 있는
커리큘럼으로, 아이들이 쉽고 재미있게
독해&어휘에 접근할 수 있도록 구성

재미있다!

교과서는 물론 생활 속에서 쉽게
접할 수 있는 다양한 소재를 활용해
흥미로운 학습 유도

똑똑하다!

초등학생에게 꼭 필요한 상식과 함께
창의적 사고력 확장을 돕는
게임 형식의 구성으로 독해력&어휘력 학습

공부의 핵심은 독해!
예비초~초6, A/B, 총 14권

독해의 시작은 어휘!
예비초~초6, A/B, 총 14권

#차원이_다른_클라쓰
#강의전문교재
#초등교재

수학교재

●수학리더 시리즈
− 개념 수학리더   1~6학년/학기별
− 기본 수학리더   1~6학년/학기별
− 응용 수학리더   1~6학년/학기별

●닥터유형   1~6학년/학기별

●수학도 독해가 힘이다   1~6학년/학기별

●수학의 힘 시리즈
− 실력 수학의 힘(알파)   3~6학년/학기별
− 유형 수학의 힘(베타)   1~6학년/학기별
− 최상위 수학의 힘(감마)   1~6학년/학기별

●Go! 매쓰 시리즈
− Go! 매쓰(Start) *교과서 개념   3~6학년/학기별
− Go! 매쓰(Run A/B/C) *교과서+사고력   1~6학년/학기별
− Go! 매쓰(Jump) *유형 사고력   1~6학년/학기별

●계산박사   1~12단계

전과목교재

●리더 시리즈
− 국어   1~6학년/학기별
− 사회   3~6학년/학기별
− 과학   3~6학년/학기별

시험 대비교재

●해법수학 단원마스터   1~6학년/학기별

●HME 수학 학력평가   1~6학년/상·하반기용

●HME 국어 학력평가   1~6학년

HME 국어 학력평가는

매년 전국 단위로 실시하는 국어 학력평가로,
독해, 어휘, 문법 등의 국어 기초 능력과 학년별 국어 학습 성취도를 평가하는
시험입니다. 전국 단위의 평가로 진행되어 학생들의 국어 학습 수준과 성취도를
객관적으로 평가 받을 수 있습니다.

HME 국어 학력평가

초등

정답과 해설

2학년

Haebub Measurement and Evaluation of korean

천재교육

정답과 해설
포인트 4가지

▶ 혼자서도 이해할 수 있는 친절한 문제 풀이

▶ 헷갈리는 보기는 〈왜 틀렸을까?〉에서 보다 자세히 설명

▶ 유형별 문항을 푸는 요령과 답안 선택 시 주의할 점 제시

▶ 출제 문항에서 꼭 알아야 할 국어 지식과 학습 개념 꼼꼼 정리

문항 번호	정답	유형	평가 내용	난이도	제재
1	②	사실	말하는 이의 생각 파악하기	보통	일상 대화
2	④	사실	말하는 이의 생각 파악하기	보통	일상 대화
3	②	추론	상황에 알맞은 인사말 하기	쉬움	일상 대화
4	⑤	추론	상황에 알맞은 인사말 하기	보통	일상 대화
5	③	비판·감상	설명하는 말을 듣고 평가하기	어려움	일상 대화
6	⑤	비판·감상	설명하는 말을 듣고 평가하기	어려움	일상 대화
7	②	생성·조직	발표를 듣고 중요한 내용 정리하기	보통	발표
8	④	생성·조직	발표에 들어갈 내용 생성하기	보통	발표

풀이

1 은영이는 눈에 보이지 않는 세균이 손에 많기 때문에 손을 씻을 때에는 비누칠을 하고 꼼꼼히 씻어야 한다고 말하였습니다. 이 말을 통해 은영이는 ②와 같은 생각을 가졌다는 것을 알 수 있습니다.

2 현지는 비누칠을 하지 않고 물로만 씻어도 자신의 손이 깨끗해 보인다고 하였습니다.

> ┤ 왜 틀렸을까? ├
> • 현지가 한 말
> ① 물로만 대충 씻고 빨리 밥 먹으러 가자.
> ② 비누칠을 안 해도 내 손은 깨끗해 보인다.
> → 현지의 생각: 손이 깨끗해 보이면 비누칠을 안 해도 된다.
> • 은영이가 한 말
> ① 그냥 보면 깨끗해 보이지만 눈에 보이지 않는 세균들이 많다.
> ② 손을 제대로 씻지 않으면 나쁜 세균 때문에 아플 수 있다.
> → 은영이의 생각: 손을 씻을 때는 비누칠을 하고 꼼꼼히 씻어야 한다.

3 전학을 가는 친구가 "나, 전학 가. 잘 지내." 하고 인사하였으므로, '잘 가', '편지할게.', '보고 싶을 거야.' 등과 같은 인사말을 하는 것이 알맞습니다.

4 로봇을 빌려주는 친구가 아끼는 것이라며 망가지지 않게 조심하라고 하였으므로, 고마움을 표시하고 조심하겠다는 인사말을 하는 것이 알맞습니다.

평가 개념과 도움말

2 인물의 생각은 '~해야 해.' 등과 같은 표현에 주로 나타납니다.

3 상황에 알맞은 인사말
• 친구가 상을 받았을 때
  ㉲ 축하해. / 대단하구나.
• 친구에게 실수를 했을 때
  ㉲ 미안해. / 잘못했어.

┌ 더 알아보기 ┐
• 상황에 알맞은 인사말
① 전학을 가는 친구와 헤어지는 상황
→ 예 '안녕, 잘 가.'
　　'보고 싶을 거야.'
② 한 친구가 다른 친구에게 로봇 장난감을 빌리는 상황
→ 예 '고마워.'
　　'망가지지 않게 조심할게.'

5 민수는 자신이 잃어버린 모자의 특징을 잘 설명했고, 서은이는 잃어버린 모자의 특징을 제대로 설명하지 않았습니다. 그러므로 민수의 설명을 들으면 모자를 쉽게 찾아 줄 수 있을 것입니다.

┌ 왜 틀렸을까? ┐
• 민수가 설명한 내용
① 야구를 하다가 모자를 잃어버림.
② 노란색이고 오리가 그려져 있음.
→ 모자의 특징을 알 수 있게 잘 설명함.
• 서은이가 설명한 내용
① 등굣길에 모자를 잃어버림.
② 자신이 좋아하는 모자임.
→ 모자를 잃어버린 때와 장소를 알 수 있는 설명이지만, 모자의 특징을 잘 알 수 있게 설명하지는 못함.

6 민수의 모자와 똑같지는 않을 것이므로 민수가 설명한 특징에 맞는 모자는 **빼고** 생각해야 합니다. 그중에서 분실물 보관함 속 다른 모자의 특징을 알맞게 설명한 것을 답으로 찾습니다.

┌ 왜 틀렸을까? ┐
• 분실물 보관함에 있는 모자
－ 노란색이고 오리가 그려져 있는 것. → 민수가 잃어버린 모자
－ 노란색이고 곰이 그려져 있는 것.
－ 초록색이고 오리가 그려져 있는 것.
－ 초록색이고 곰이 그려져 있는 것.

7 수현이의 발표를 보면 경주에 도착한 다음, 불국사를 구경하였다고 했습니다. 그다음 첨성대를 구경하러 갔고, 마지막으로 국립경주박물관에 갔습니다. 시간을 나타내는 말을 살피면 수현이가 겪은 일의 순서를 알기 쉽습니다.

8 경주에 다녀온 생각이나 느낌으로 알맞은 내용이면서, 앞부분의 내용과 자연스럽게 이어지는 내용을 발표한 ④를 답으로 찾아야 합니다.

5 물건을 설명하는 상황 알기 예
• 새로 알게 된 물건을 설명하는 상황
• 소중한 물건을 설명하는 상황
• 잃어버린 물건을 설명하는 상황
• 친구가 잘 모르는 물건을 설명하는 상황

7 일이 일어난 차례를 생각하며 듣는 방법
• 시간을 나타내는 말에 주의해서 들어야 합니다.
예 아침 / 점심 / 저녁 등
• 시간을 나타내는 말을 생각하며 일이 일어난 차례를 떠올리며 듣습니다.

정답과 풀이

대표 유형 문제 읽기

문항 번호	정답	유형	평가 내용	난이도	제재
1	④	내용 확인	글의 내용 파악하기	쉬움	설명하는 글
2	④	내용 확인	글의 내용 파악하기	보통	설명하는 글
3	③	내용 확인	글에서 지시하는 내용 파악하기	쉬움	생활문
4	②	내용 확인	글에서 지시하는 내용 파악하기	보통	생활문
5	⑤	평가·감상	글쓴이의 생각 찾기	보통	생활문
6	③	평가·감상	글쓴이의 생각 찾기	어려움	생활문
7	②	평가·감상	공익 광고의 표현, 내용 파악하기	보통	공익 광고
8	②	평가·감상	공익 광고에 대한 생각이나 느낌 말하기	어려움	공익 광고
9	①	추론	글쓴이의 마음 짐작하기	보통	생활문
10	④	추론	글쓴이의 마음 짐작하기	보통	생활문
11	②	추론	글의 내용을 바탕으로 짐작하기	보통	설명하는 글
12	①	추론	글의 내용을 바탕으로 짐작하기	어려움	설명하는 글

풀이

1 수컷 사슴벌레의 특징을 설명하는 글입니다. 암컷 사슴벌레에 대한 내용은 나타나 있지 않습니다.

┤ 왜 틀렸을까? ├
• 수컷 사슴벌레의 특징
① 큰턱을 가졌고, 그 옆에는 더듬이가 있음.
② 수컷 사슴벌레의 등은 단단한 껍데기로 덮여 있음.
③ 수컷 사슴벌레의 등 껍데기 속에는 얇은 날개가 있음.
④ 수컷 사슴벌레는 나뭇진을 먹고 삶.

2 수컷 사슴벌레는 자신을 드러내어 보이게 하거나 먹이를 먼저 차지하기 위해서 큰턱을 서로 맞대고 상대를 밀어붙이는 힘겨루기를 한다고 하였습니다.

3 글쓴이는 사람들이 우리말의 소중함을 잘 모르는 것 같다고 하면서 우리말을 두고 영어를 사용하거나 우리말을 마구 줄여 쓴다고 하였습니다.

평가 개념과 도움말

1 주요 내용을 확인하며 글 읽기
• 글의 제목을 보고 무엇을 설명하는지 짐작해 봅니다.
• 설명하는 대상이 무엇인지 찾아봅니다.
• 설명하는 대상의 특징을 살펴봅니다.

2 수컷 사슴벌레가 힘겨루기를 하는 까닭
• 자신을 드러내어 보이게 하기 위해
• 먹이를 차지하기 위해

4 글쓴이는 우리말을 아끼고 사랑하겠다고 하면서 첫 번째로 바른 말을 사용하겠다고 다짐하였습니다. 그리고 도서관에 가서 우리말에 대한 책을 빌려 볼 것이라고 하였습니다.

┤ 왜 틀렸을까? ├
- 우리말이 오염되고 파괴되고 있는 모습으로 글쓴이가 제시한 것
  ① 우리말을 두고 영어로 '나이스(Nice)', '굿(Good)' 하며 말하는 것
  ② 유행어를 따라 하는 것
  ③ 우리말을 마구 줄여 쓰는 것

4 재성이의 일기
삼촌에게 우리말의 소중함에 대한 이야기를 듣고 우리말을 아끼고 사랑해야겠다는 다짐을 쓴 일기입니다.

5 글의 끝부분에 서영이가 앞으로 이를 잘 닦는 습관을 길러야겠다는 다짐을 쓴 부분이 나타나 있습니다.

┤ 왜 틀렸을까? ├
㉠ 나는 조금도 먹지 못하였습니다. 어금니 두 개가 아팠기 때문입니다.
 → 글쓴이가 겪은 일을 쓴 것입니다.
㉡ 아버지께서는 제가 초콜릿을 많이 먹고 이를 깨끗하게 닦지 않아서 그런 것 같다고 하셨습니다.
 → 글쓴이가 들은 말을 알 수 있는 내용입니다.
㉢ 치과에 사람이 거의 없어서 빨리 치과 의사 선생님을 만날 수 있었습니다.
 → 글쓴이가 겪은 일을 쓴 것입니다.
㉣ 어머니께서는 아픈데 잘 참고 진료도 잘 받았다고 나를 칭찬해 주셨습니다.
 → 글쓴이가 겪은 일을 쓴 것입니다.
㉤ 이를 잘 닦고 초콜릿이나 사탕을 조금만 먹는 습관을 길러야겠습니다.
 → 글쓴이의 다짐을 알 수 있습니다.

5 글쓴이의 생각 찾기
- 글쓴이의 생각을 찾으려면 '~ 해야겠다.', '~ 생각했다.' 등의 표현이 들어간 문장을 찾습니다.

6 앞으로 이를 잘 닦고, 단 음식을 적게 먹는 습관을 기르겠다고 하였으므로, 이가 아프면 잘 참아야겠다는 생각은 하지 않았을 것입니다.

7 이 공익 광고에서는 다섯 손가락 중 그 어떤 것 하나라도 최고일 수 없고 함께일 때 완전한 힘을 가진다고 하였습니다.

┤ 왜 틀렸을까? ├
- 이 광고에서 손가락에 끼운 인형이 나타내는 것
  → 나라도 얼굴도 모두 다른 사람들을 나타내고 있습니다.
- 광고의 중심 생각: 전 세계 사람들 모두가 사이좋게 어울려야 한다.

8 주요 내용을 확인하고 자신의 생각 말하기
- 글에 나타난 생각을 알아봅니다.
- 그 생각에 대한 좋은 점과 좋지 않은 점을 떠올려 봅니다.
- 자신이라면 어떻게 할지 까닭을 들어 생각을 말합니다.

8 연지는 광고에 나온 표현을 그대로 말한 것이므로, 생각이나 느낌을 말한 것이 아닙니다.

┤ 왜 틀렸을까? ├

① 모든 나라가 서로 사이좋게 지내면 좋겠어.

　→ 광고의 주제와 관련이 있는 생각입니다.

② 다섯 손가락의 이름과 쓰임새는 모두 달라.

　→ '이름도 쓰임새도 모두 다른 손가락'이라는 광고 속 표현을 그대로 반복한 말입니다.

③ 피부색이 다르다고 차별하면 안 된다고 생각해.

　→ 광고의 주제와 관련이 있는 생각입니다.

④ 못사는 나라 사람이라고 무시하면 안 되겠구나.

　→ 광고의 주제와 관련이 있는 생각입니다.

⑤ 다른 나라 사람과도 친구가 될 수 있을 것 같아.

　→ 광고의 주제와 관련이 있는 생각입니다.

9 "미선아, 너 정말 자전거 잘 탄다. 진짜 빠른데?"는 미선이가 자전거를 잘 탄다고 칭찬하는 말이므로, 미선이는 영석이의 말을 듣고 기분이 좋았을 것입니다.

10 '나는 오늘 이 세상의 주인공이 된 것 같은 마음이 들었다.' 부분에서 미선이가 몹시 기분이 좋은 상태라는 것을 알 수 있습니다. 글에서 미선이가 겪은 일 중, 미선이의 기분을 좋게 할 만한 일이 아닌 것을 답으로 찾아야 합니다.

┤ 왜 틀렸을까? ├

④ 새로 산 빨간색 자전거에 흙이 많이 묻어서

　→ 자전거에 흙이 묻긴 했지만, 그 일에 대한 미선이의 마음은 나타나 있지 않고, 집에 와서 흙을 깨끗이 닦았다고 하였으므로 미선이의 기분에 영향을 주지 않았을 것입니다.

11 고래는 물 위로 올라와서 참고 있던 숨을 한꺼번에 숨구멍으로 뿜어낸다고 하였습니다. 그러므로 고래가 숨을 쉬려고 올라왔을 때 숨구멍이 있는 '머리 부분'을 물 밖으로 내밀 것입니다.

12 향고래는 숨구멍이 왼쪽으로 치우쳐 있어서 물을 뿜는 모습이 특이하다고 하였습니다. 숨구멍이 몸의 한가운데에 있으면 물줄기가 똑바르게 뿜어질 것이고, 한쪽으로 치우쳐 있으면 물줄기가 비스듬한 방향으로 나올 것입니다.

┤ 왜 틀렸을까? ├

② 물을 잘 빨아들이지.

　→ 숨구멍은 물을 빨아들이는 구멍이 아닙니다.

③ 바닷속으로 물을 뿜지.

　→ 바닷속으로 물을 뿜으면 숨을 제대로 쉴 수 없을 것입니다.

④ 숨을 안 쉬어도 된단다.

　→ 모든 고래는 일정 시간 동안 숨을 참은 뒤에는 숨을 쉬어야 합니다.

9 마음을 나타내는 말

• 흐뭇하다: 마음이 조금도 모자람이 없을 정도로 넉넉하여 매우 기분이 좋다.

• 서운하다: 마음에 모자라 아쉽거나 섭섭한 느낌이 있다.

12 글을 읽고 빈칸의 내용 짐작하기

• 빈칸의 앞부분이나 뒷부분에 있는 내용을 살펴봅니다.

• 살펴본 내용을 가지고 어떤 내용이 이어질지 떠올립니다.

대표 유형 문제 쓰기

문항 번호	정답	유형	평가 내용	난이도	제재
1	①	내용 생성	알맞은 표현으로 문장 완성하기	쉬움	편지
2	④	내용 생성	편지에 들어가는 내용 알기	보통	편지
3	③	내용 조직	겪은 일을 바탕으로 글 쓰기	어려움	글과 그림
4	④	표현·고쳐 쓰기	틀린 글자 고쳐 쓰기	보통	소개하는 글
5	④	표현·고쳐 쓰기	알맞은 표현으로 고쳐 쓰기	보통	소개하는 글

풀이

1 '네가 도와준 것처럼'이라는 말이 앞에 있으므로, 빈칸에는 은영이도 영훈이에게 빌려주겠다는 내용이 들어갈 것입니다.

> ┤ 왜 틀렸을까? ├
> • 하은이가 영훈이에게 마음을 전하는 편지
> ① 하은이가 겪은 일: 지난주 수요일 국어 시간에 영훈이가 하은이에게 지우개를 빌려줌.
> ② 하은이가 전하려는 마음: 고마운 마음

2 편지에 '가운데 인사'는 들어가지 않습니다.

3 일요일 아침에 일어나서 달력을 보는 내용이 가은이가 쓰려는 글의 가장 처음에 들어갈 것입니다.

4 조은을 '좋은'으로 알맞게 고쳤습니다. '조흔' 등으로 잘못 쓰지 않도록 주의합니다.

> ┤ 왜 틀렸을까? ├
> ① 소게 → '소개'로 고쳐야 합니다.
> ② 천처니 → '천천히'로 고쳐야 합니다.
> ③ 침미다 → '칩니다'로 고쳐야 합니다.
> ⑤ 세개 → '세계'로 고쳐야 합니다.

5 '소민이가 꿈을 꼭 이루었으면 좋습니다.'는 어색하므로, '좋습니다'를 '좋겠습니다'로 바꾸면 알맞은 문장이 됩니다. 또 꿈을 이루기를 바란다는 내용의 문장이므로, '좋을지 모르겠습니다.' 등의 애매한 표현을 쓰기보다는 '좋겠습니다.' 등의 분명한 표현을 쓰는 것이 좋습니다.

평가 개념과 도움말

1 마음을 전하는 글
• 어떤 일이 있었는지 알 수 있게 씁니다.
• 그때의 마음이 어떠하였는지 씁니다.
• 전하려는 마음을 알 수 있게 씁니다.

2 편지에 들어가는 내용
• 받을 사람
• 첫인사
• 전하고 싶은 말
• 끝인사
• 쓴 날짜
• 쓴 사람

정답과 풀이

대표 유형 문제 문법

문항 번호	정답	유형	평가 내용	난이도
1	③	문장·담화	대화 상황에 알맞은 문장 찾기	보통
2	②	문장·담화	대화 상황에 알맞은 문장 찾기	보통
3	⑤	문장·담화	알맞은 문장 완성하기	쉬움
4	④	발음·표기·규범	낱말의 정확한 표기 알기	보통
5	②	발음·표기·규범	낱말을 정확하게 고쳐 쓰기	보통
6	⑤	발음·표기·규범	헷갈리는 낱말을 구별하여 사용하기	어려움
7	⑤	발음·표기·규범	알맞은 높임 표현으로 고쳐 쓰기	보통
8	③	발음·표기·규범	낱말의 정확한 발음 알기	어려움
9	④	발음·표기·규범	문장 부호 바르게 사용하기	쉬움

풀이

1 건우가 "그래, 친하게 지내자." 하고 대답하였으므로, 처음 만나는 친구에게 할 인사말로 알맞은 것은 "앞으로 친하게 지내자."입니다.

┤ 왜 틀렸을까? ├

① 안녕. 잘 가.
→ 서로 헤어지는 상황에 알맞은 말입니다.
② 넌 이름이 뭐니?
→ 이름을 묻는 상황이 아니므로, 빈칸에 들어갈 말로 어울리지 않습니다.
④ 내 이름을 어떻게 알았지…….
→ 이름을 묻고 답하는 상황이 아니므로, 빈칸에 들어갈 말로 어울리지 않습니다.
⑤ 우리 학교에 온 느낌이 어떤가요?
→ 상황에는 어울리는 말이지만, 높임 표현을 사용하여 아이들끼리 하는 말로는 어울리지 않습니다.

2 ㉠ 앞부분의 지현이가 한 말과, ㉡ 다음 부분에 지현이가 대답한 말을 통해 건우가 어떤 말을 하였을지 짐작할 수 있습니다. 지현이의 대답이 '2층 과학실 옆에 있어.'이므로, 건우는 어떤 장소가 어디에 있는지 물어보는 말을 하였을 것입니다.

평가 개념과 도움말

1 상황에 알맞은 인사말
• 전학 온 친구에게
  ㉮ 반가워.
• 전학 가는 친구에게
  ㉮ 잘 가.

2 상황에 알맞은 말
• 대답을 보고 물어본 내용을 짐작합니다.
• 물어본 내용에 알맞은 대답을 짐작합니다.

3 '이 책은 내가 주는 선물이다.'라고 쓰는 것이 가장 알맞습니다. '선물이다'가 문장의 마지막에 들어가고, '선물'을 꾸며 주는 내용이 그 사이에 들어갑니다.

4 병이나 상처가 고쳐져 본래대로 되다를 뜻하는 '낫다'를 써야 알맞고, '걱정하고 있었다'로 써야 알맞은 표현이 됩니다.

> ┤ 왜 틀렸을까? ├
>
> • 낳다
> ① 배 속의 아이, 새끼, 알을 몸 밖으로 내놓다.
>   예 닭이 알을 <u>낳았</u>다.
> ② 어떤 결과를 이루거나 가져오다.
>   예 방역 수식 강화는 좋은 결과를 <u>낳았</u>다.
> ③ 어떤 환경이나 상황으로 어떤 인물이 나타나도록 하다.
>   예 그 선수는 대한민국이 <u>낳은</u> 보물입니다.

5 '가리켤따'에서 '켜'의 받침과 '따'의 표기를 틀렸으므로, '가리켰다'와 같이 고쳐 써야 합니다. 그리고 '쪼차오는'에서 '쪼'의 받침을 쓰지 않았고, '차'를 잘못 썼으므로 '쫓아오는'과 같이 고쳐 써야 합니다.

> ┤ 왜 틀렸을까? ├
>
> '가리키다'를 '가르키다'로 잘못 알고 있으면 틀릴 수 있습니다.
> • 가리키다: 손가락 등으로 어떤 방향을 집어서 보이거나 알리다.
> • 가르키다: '가르치다'나 '가리키다'를 잘못 쓴 표현입니다.

6 '우리 반 약속을 학급 게시판에 붙이고 싶어.'에 '붙이다'를 알맞게 사용하였습니다.

7 '할머니가 주었어요.'에서 '할머니가'를 '할머니께서'로 고쳐야 합니다. '할머니께'로 잘못 고치면 '할머니에게'를 높인 표현이 되므로 문장의 뜻이 달라질 수 있습니다. 그리고 '주었어요'에 '-시-'를 넣어, '주셨어요'라고 고쳐야 알맞은 높임 표현이 됩니다.

8 '맑은'은 [말근]으로 소리 내어 읽고, '높이'는 [노피]로 소리 내어 읽습니다.

9 '선생님, 안녕히 계세요.'는 풀이하는 문장이므로 마침표를 알맞게 사용했습니다. '오늘 날씨가 정말 맑구나!'와 '엄마가 만들어 주신 된장찌개가 제일 좋아요!'는 감탄을 나타내는 문장이므로 느낌표를 알맞게 사용했습니다. ④는 묻는 문장이므로 물음표를 써야 합니다.

---

3 알맞은 문장 쓰기

이 책은 + 선물이다.
↓
이 책은 + 내가 주는 + 선물이다.

4 '낫다'와 '낳다' 바르게 구별하기
• 감기 빨리 낳아라. ✕
  → 감기 빨리 나아라. ◯

5 알맞은 받침 쓰기
• '가리키다'를 과거를 나타내는 뜻으로 쓸 때에는 '었'이 들어가므로 '켜'에 쌍시옷 받침을 넣습니다.

6 헷갈리는 낱말
– 달이다: 액체를 끓여서 진하게 만들다.
– 다리다: 다리미로 판판하게 펴다.

9 문장 부호 바르게 사용하기
• **마침표**: 풀이하는 문장에 씀.
• **물음표**: 묻는 문장에 씀.
• **느낌표**: 감탄을 나타내는 문장에 씀.

문항 번호	정답	유형	평가 내용	난이도
1	③	지식	시에 나타난 표현 파악하기	쉬움
2	④	지식	시에 나타난 표현 파악하기	보통
3	④	수용과 생산	이야기 속 인물의 마음 짐작하기	보통
4	②	수용과 생산	이어질 이야기 꾸며 쓰기	어려움

풀이

1 '짜릿하고 향긋한 / 냄새로 / 물들이고,' 부분과 그 옆의 코 그림을 보면, 귤의 냄새를 생생하게 표현한 것을 알 수 있습니다.

┤ 왜 틀렸을까? ├
① 귤의 맛 → 귤의 맛은 입술 그림이 그려져 있는 4연에 잘 나타나 있습니다.
② 귤의 빛깔 → 귤의 빛깔은 눈 그림이 그려져 있는 3연에 잘 나타나 있습니다.
④ 귤의 크기 → 귤의 크기를 직접적으로 표현하지는 않았지만, 이 시를 전체적으로 살펴보면 귤의 냄새, 빛깔, 맛이 방을 가득 채울 정도로 크다고 표현하였습니다.
⑤ 귤을 사 온 사람 → 귤을 사 온 사람이 누구인지는 이 시에 나타나 있지 않습니다.

2 입술 그림을 살펴보면, 입으로 느낄 수 있는 감각인 '맛'을 생생하게 표현한 내용이 들어갈 것을 짐작할 수 있습니다. 그러므로 '사르르 군침 도는 / 맛으로'를 정답으로 찾아야 합니다.

3 꾸중을 들어서 속상했을 수민이는, 아이들이 모여 있는 것을 보고 궁금했을 것입니다. 아이들이 자신처럼 쫓겨났다는 것을 알고는 반가운 마음이 들었을 것입니다.

┤ 왜 틀렸을까? ├
글 **가**에서 느껴지는 수민이의 마음을 알맞게 찾았어도 글 **나**와 **다**에서 느껴지는 마음을 잘못 찾으면 틀릴 수 있습니다.

4 아이들이 처한 상황과 이전에 일어난 일들을 살펴보고, 아이들의 특성이 드러나는 사건을 떠올려 뒤에 일어날 이야기를 꾸며 쓸 수 있습니다.

평가 개념과 도움말

1 시에 나타난 감각적 표현
• 2연 – 귤의 향기
  → 짜릿하고 향긋한 냄새
• 3연 – 귤의 빛깔
  → 양지짝의 화안한 빛
• 4연 – 귤의 맛
  → 사르르 군침 도는 맛

3 인물의 마음 파악하기
인물이 겪은 일을 통해 어떤 마음이 들었을지 짐작할 수 있습니다.

대표 유형 문제 어휘

교재 | 38 ~ 40쪽

문항 번호	정답	유형	평가 내용	난이도
1	①	개념	꾸며 주는 말 찾기	쉬움
2	③	개념	흉내 내는 말 찾기	보통
3	④	개념	흉내 내는 말 알맞게 사용하기	보통
4	②	관계	서로 반대인 관계의 낱말	보통
5	③	관계	낱말 사이의 관계 알기	어려움
6	④	관계	낱말 사이의 관계 알기	보통
7	④	의미 · 확장	낱말의 뜻 파악하기	보통
8	③	의미 · 확장	헷갈리는 낱말의 뜻 구별하기	어려움

풀이

1 '향긋한 꽃향기를 맡아 보세요.'라는 문장에서 '향긋한'이 꾸며 주는 말입니다. '친구와 공부했습니다.'에는 꾸며 주는 말이 들어가 있지 않습니다.

┤ 왜 틀렸을까? ├

② 맛있는 볶음밥을 먹었습니다.
→ '맛있는'이 꾸며 주는 말입니다.

③ 귀여운 다람쥐가 뛰어갑니다.
→ '귀여운'이 꾸며 주는 말입니다.

④ 노란 참외가 맛있게 익었습니다.
→ '노란'과 '맛있게'가 꾸며 주는 말입니다.

⑤ 빨간 사과과 주렁주렁 열렸습니다.
→ '빨간'과 '주렁주렁'이 꾸며 주는 말입니다.

2 주어진 문장에서 '보글보글'이 흉내 내는 말입니다. '만두를 맛있게 구웠습니다.'에는 흉내 내는 말이 들어가 있지 않습니다.

┤ 왜 틀렸을까? ├

① 비가 주룩주룩 내립니다. → '주룩주룩'이 흉내 내는 말입니다.

② 자전거가 쌩쌩 달립니다. → '쌩쌩'이 흉내 내는 말입니다.

④ 버스가 부르릉 출발합니다. → 자동차가 출발하는 소리를 흉내 내는 말입니다.

⑤ 오리가 뒤뚱뒤뚱 걸어갑니다. → 몸이 이리저리 기울어지며 움직이는 모양을 흉내 내는 말입니다.

평가 개념과 도움말

1 꾸며 주는 말의 쓰임
뒤에 나오는 말의 뜻을 더 자세하게 만들어 줍니다.

2 흉내 내는 말
• **주룩주룩**: 비가 내리는 소리를 흉내 내는 말
• **쌩쌩**: 빠르게 지나가는 소리나 모습을 흉내 내는 말

3 '강아지가 밥 달라고 꿀꿀 짖습니다.'에서 '꿀꿀'은 어울리지 않습니다. 강아지가 짖는 소리로는 '멍멍'이 잘 어울립니다.

┤ 왜 틀렸을까? ├

① 참새가 <u>짹짹</u> 지저귑니다.

　→ 참새가 지저귀는 소리를 흉내 내는 말로 잘 어울립니다.

② 송아지가 <u>음매</u> 하고 부릅니다.

　→ 송아지가 우는 소리를 흉내 내는 말로 잘 어울립니다.

③ 고양이가 <u>야옹야옹</u> 인사합니다.

　→ 고양이가 우는 소리를 흉내 내는 말로 잘 어울립니다.

⑤ 호랑이가 <u>어흥</u> 소리를 내자 사람들이 놀랍니다.

　→ 호랑이가 내는 소리를 흉내 내는 말로 잘 어울립니다.

4 '밝다'와 '어둡다'는 서로 뜻이 반대인 낱말입니다. '비싸다'와 뜻이 반대인 낱말은 '싸다'입니다.

5 과일은 여러 가지 과일을 나타내는 말을 모두 포함하는 낱말입니다. 그리고 '사과', '배', '귤', '포도', '자두'는 모두 각각의 과일을 나타내는 말입니다. 삼각형, 사각형, 오각형, 원은 모두 '도형'에 포함될 수 있기 때문에 이와 비슷한 관계로 찾을 수 있습니다.

┤ 왜 틀렸을까? ├

① 라면: 면, 수프, 봉지

　→ 면, 수프, 봉지는 라면을 이루는 한 부분입니다.

② 자동차: 전기, 휘발유, 경유

　→ 자동차를 움직일 수 있는 연료의 종류를 나타낸 것입니다.

④ 동물원: 코끼리, 사자, 늑대, 하마

　→ 동물원에서 볼 수 있는 동물을 나타낸 것이지, 각각의 동물 이름을 모두 포함할 수 있는 관계는 아닙니다.

⑤ 학교: 친구, 선생님, 보건 선생님

　→ 학교에서 만날 수 있는 사람들을 나타낸 것입니다.

6 '바삭바삭하다'와 '맛있다'는 음식을 맛을 표현할 때 쓰는 말로, 서로 뜻이 반대의 관계를 나타내지는 않습니다.

7 '교훈'은 '앞으로의 행동이나 생활에 기준이 될 만한 가르침'을 뜻하는 말이므로 '가르침'이라고 바꾸어 써도 뜻이 통합니다. '사용합니다'는 '씁니다'로 바꾸어도 뜻이 통합니다.

8 '서로 같지 않다.'를 뜻하는 말은 '다르다', '계산이나 사실이 맞지 않다.'를 뜻하는 말은 '틀리다'입니다. 그리고 물건이 없어졌을 때에는 '잃어버리다'를, 생각이 나지 않으면 '잊어버리다'를 사용합니다.

4 서로 뜻이 반대인 낱말

- 밝다 ↔ 어둡다
- 비싸다 ↔ 싸다

5 낱말 사이의 관계

6 서로 뜻이 반대인 낱말

- 크다 ↔ 작다
- 무겁다 ↔ 가볍다
- 좋다 ↔ 나쁘다
- 낮다 ↔ 높다

8 헷갈리는 낱말 바르게 사용하기

- 서로 생각이 <u>틀려</u> ×
  → 서로 생각이 달라 ○
- 약속을 <u>잃어버리다</u> ×
  → 약속을 잊어버리다 ○

실전 모의고사 **1**회

문항 번호	정답	대영역	중영역	평가 내용	난이도	배점
01	④	듣기·말하기	사실	발표의 내용 파악하기	보통	3점
02	③	듣기·말하기	생성·조직	발표를 할 때의 알맞은 목소리와 몸짓 알기	보통	3점
03	②	어휘	개념	알맞은 흉내 내는 말 찾기	보통	3점
04	③	문법	규범	알맞은 높임 표현 알기	보통	4점
05	⑤	듣기·말하기	추론	듣는 사람의 기분을 헤아리며 말하기	어려움	4점
06	⑤	읽기	내용 확인	안내문을 읽고 중요한 내용 파악하기	보통	3점
07	⑤	읽기	추론	안내문을 읽고 글쓴이의 의도 짐작하기	보통	3점
08	④	문법	문장·담화	문장의 종류 알기	쉬움	3점
09	③	문법	규범	문장 부호를 알맞게 사용하기	보통	3점
10	⑤	어휘	관계	어휘의 관계 파악하기	어려움	4점
11	②	읽기	평가·감상	글의 종류 파악하기	쉬움	3점
12	④	읽기	내용 확인	글의 내용 파악하기	보통	3점
13	①	읽기	추론	이야기를 읽고 일어난 일 짐작하기	보통	3점
14	②	읽기	내용 확인	글의 내용 파악하기	쉬움	3점
15	⑤	읽기	내용 확인	글의 내용 파악하기	보통	3점
16	①	읽기	추론	이야기의 주제 짐작하기	보통	3점
17	③	문법	규범	알맞은 높임 표현으로 인사말하기	보통	4점
18	④	어휘	의미	낱말의 정확한 뜻 알기	어려움	4점
19	③	읽기	추론	인물의 마음 파악하기	보통	4점
20	②	문학	수용과 생산	이야기의 내용 파악하기	쉬움	3점
21	④	문학	수용과 생산	이야기의 교훈 짐작하기	보통	4점
22	⑤	문학	지식	인물의 마음 파악하기	보통	3점
23	④	문학	지식	시에서 말하는 이의 마음 파악하기	보통	3점
24	⑤	문학	수용과 생산	시를 읽고 장면 떠올리기	보통	3점
25	④	문법	발음	낱말을 알맞게 소리 내어 읽기	보통	3점
26	④	문법	문장·담화	알맞은 문장 만들기	어려움	4점
27	⑤	쓰기	내용 생성	글의 제목 정하기	보통	4점
28	②	쓰기	표현	여러 사람이 읽는 글에 맞는 표현 사용하기	보통	4점
29	③	어휘	의미	헷갈리는 낱말의 뜻을 정확하게 구별하기	보통	3점
30	③	쓰기	고쳐 쓰기	흉내 내는 말을 사용하여 문장 고쳐 쓰기	보통	3점

풀이

01 강하늘 어린이의 발표에서 숙제를 하고 간식을 먹는다는 내용은 나타나 있지 않습니다.

02 친구들 앞에서 발표를 할 때에는 똑바로 서서 듣는 사람을 바라보고, 모두가 들을 수 있는 알맞은 크기의 목소리로 말해야 합니다. 나만 들리는 작은 목소리로 발표를 하면 듣는 사람이 알아듣기 어렵습니다.

03 비가 내리는 소리나 모양을 흉내 내는 말로, '부슬부슬'을 쓸 수 있습니다.

04 다미가 한 말 중 '할아버지는', '사는데?' 부분에 높임 표현이 들어가 있지 않습니다. '할아버지께서는', '사시는데?'와 같은 높임 표현으로 고칠 수 있습니다.

05 현수가 재희의 기분은 생각하지 않고 자신의 기분만 생각하며 자꾸 같이 놀자고 말하여서, 재희는 기분이 좋지 않을 것입니다.

06 도서관에서 볼 수 있는 안내문입니다. 휴대 전화의 알림 소리를 무음이나 진동으로 해 달라고 적혀 있으므로, 도서관에 휴대 전화를 가지고 들어갈 때에는 안내에 따라 알림음을 바꾸어야 합니다.

07 도서관에서 시끄러운 소리가 나면 다른 사람들에게 방해가 되기 때문에 ㉠~㉢과 같은 내용을 안내하였을 것입니다.

08 '어서 아침을 먹고 학교에 가야겠습니다.'는 풀이하는 문장입니다.

09 마침표는 칸의 왼쪽 아래 부분에 써야 합니다.

10 시장에서 채소 가게, 생선 가게, 과일 가게 등 여러 가게를 볼 수 있으므로, '시장'은 '채소 가게'보다 더 범위가 넓은 낱말입니다. 채소는 시금치와 배추를 모두 포함하는 낱말이고, 생선은 고등어, 갈치, 오징어를 포함하는 낱말입니다. 그러므로 ㉠에는 채소의 다른 예를, ㉡에는 과일의 다른 예를 넣을 수 있습니다.

11 쓴 날짜와 날씨, 제목이 들어간 '일기'입니다.

12 글쓴이는 은찬이와 함께 시소, 그네를 타고 놀았습니다.

13 "배 속이 이렇게 많이 탔으니 죽을 만도 하지요."라는 말을 통해 호랑이가 죽었음을 짐작할 수 있습니다.

14 화면이 평평한 것은 요즘 텔레비전의 특징입니다.

평가 개념과 도움말

02 발표에 알맞은 목소리와 몸짓
- 듣는 사람을 바라보고 똑바로 선다.
- 고개를 알맞게 든다.
- 듣는 사람이 모두 들을 수 있는 적당한 크기의 목소리를 낸다.

05 듣는 사람의 기분을 고려하여 말하기
① 듣는 사람이 어떤 상황인지 살핀다.
② 듣는 사람의 기분이 상하지 않도록 내 기분을 솔직하게 말한다.

08 문장의 종류
- **풀이하는 문장**: 어떤 내용을 설명하거나 생각을 평범하게 말하는 문장
- **묻는 문장**: 궁금한 것을 물어보는 문장
- **감탄을 나타내는 문장**: 기쁨, 슬픔, 놀람 등을 말하는 문장

15 옛날 라디오는 동그란 장치를 돌려서 빨간 선을 움직여야 방송을 들을 수 있습니다.

16 개가 욕심을 부리지 않았으면 고기를 잃지 않았을 것이므로 다혜가 말한 것과 같은 교훈을 얻을 수 있습니다.

17 학교에서 돌아왔을 때나 친구네 집에 갔다 왔을 때 "다녀왔습니다." 하고 인사합니다. "다녀오겠습니다."는 바깥에 나갈 때 웃어른께 할 인사말로 알맞습니다.

18 집에 와서 불쑥 말했다는 문장이므로, 여기에서의 '불쑥'은 '앞뒤 생각 없이 대뜸 말을 함부로 하는 모양.'이라는 뜻으로 쓰인 것을 알 수 있습니다. 물체의 겉이 크게 튀어나오는 모양을 뜻하는 낱말은 '불룩'입니다.

19 글쓴이는 상추가 건강하게 자랐으면 좋겠다고 생각하였습니다.

20 네모는 동그라미의 동글동글한 점을 부러워하였으므로, 세모를 부러워하였다는 내용은 알맞지 않습니다.

21 자신의 모습보다 남의 모습을 더 부러워하던 블록 친구들이 자신의 모습에 자신감을 갖게 된 이야기입니다.

22 '나'는 배탈이 나서 학교에 가지 못해 속상했다가, 놀이터에서 짝을 내일 바꾸기로 했다는 여진이의 말에 기분이 좋아졌습니다.

23 풀꽃을 밟을까 봐 미안해하는 마음이 나타나 있습니다.

24 풀밭을 조심스럽게 걷고 있는 모습이 떠오르는 시입니다.

25 '읽다'는 [익따], '읽었다'는 [일걷따], '읽으며'는 [일그며]로 소리 내어 읽습니다.

26 '나도 토끼처럼 지혜로운 사람이 되고 싶다.'라는 문장을 만들 수 있습니다. '토끼처럼 나도 지혜로운 사람이 되고 싶다.'라고 만들 수도 있습니다.

27 설명하고 싶은 물건, 설명하고 싶은 까닭 부분을 통해 잃어버린 물건에 대하여 설명하는 글을 쓰는 과정이므로 '잃어버린 인형을 찾습니다'와 같은 제목이 가장 알맞습니다.

28 누가 읽을지 모르는 글이므로, 높임 표현을 사용하여 공손하게 쓰는 것이 좋습니다.

29 택배를 보낼 때 '부치다', 문으로 막힐 때 '닫히다', 떨어진 것을 붙게 할 때 '붙이다', 몸에 상처가 났을 때 '다치다'를 씁니다.

30 공이 굴러가는 모양을 흉내 내는 말로 '데굴데굴'을 쓸 수 있습니다.

18 낱말의 뜻
① 무엇인가를 갑자기 쑥 내미는 모양.
㉠ 사탕을 불쑥 내밀었다.
③ 무엇인가가 갑자기 쑥 나타나는 모양.
㉠ 강아지가 가게에 불쑥 들어왔다.
⑤ 갑자기 마음이 생기거나 생각이 떠오르는 모양.
㉠ 잊고 있던 약속이 불쑥 떠올랐다.

25 겹받침이 들어간 낱말
읽다 [익따]
읽으며 [일그며]
읽고 [일꼬]
읽는 [잉는]
읽지 [익찌]

27 설명하는 글 쓰기
설명하는 대상을 정합니다.
설명하는 까닭을 생각합니다.
설명을 듣거나 읽는 사람이 궁금해할 내용을 생각합니다.

29 헷갈리는 낱말
┌ **붙이다**: 붙게 하다.
└ **부치다**: 편지 등을 보내다.
┌ **닫히다**: 문으로 막히다.
└ **다치다**: 상처를 입다.

실전 모의고사 2회

문항 번호	정답	대영역	중영역	평가 내용	난이도	배점
01	②	듣기·말하기	추론	말하는 이의 의도 파악하기	보통	3점
02	⑤	듣기·말하기	생성·조직	듣는 사람의 기분을 생각하며 말하기	보통	3점
03	⑤	어휘	개념	토박이말의 뜻 알기	보통	3점
04	②	어휘	의미	헷갈리는 낱말의 뜻 구별하기	어려움	4점
05	③	듣기·말하기	비판·감상	발표를 할 때의 알맞은 몸짓과 목소리 알기	보통	3점
06	④	읽기	내용 확인	글의 내용 파악하기	보통	3점
07	④	읽기	추론	글의 나타난 정보를 파악하여 활용하기	어려움	4점
08	⑤	문법	문장·담화	문장의 종류 알기	쉬움	3점
09	④	문법	표기	낱말의 정확한 표기 알기	보통	3점
10	④	문법	규범	알맞은 높임 표현으로 고쳐 쓰기	보통	4점
11	⑤	읽기	추론	글을 읽고 실천 방안 짐작하기	보통	3점
12	④	읽기	내용 확인	글쓴이가 글을 쓴 까닭 파악하기	보통	3점
13	②	읽기	평가·감상	글을 읽고 내용과 형식 평가하기	어려움	4점
14	③	읽기	추론	글을 읽고 핵심 내용 짐작하기	보통	3점
15	③	읽기	내용 확인	설명하는 글의 내용 파악하기	쉬움	3점
16	⑤	읽기	내용 확인	이야기에서 일어난 문제 파악하기	보통	3점
17	⑤	읽기	추론	이야기 속 문제의 해결 방안 떠올리기	어려움	4점
18	③	문학	지식	시를 읽고 장면 떠올리기	어려움	4점
19	③	문학	수용과 생산	시 속 인물의 마음 짐작하기	보통	3점
20	⑤	문학	수용과 생산	이야기에서 일어난 일 파악하기	쉬움	3점
21	⑤	문학	지식	이야기를 읽고 교훈 찾기	보통	4점
22	⑤	문학	수용과 생산	이야기 속 인물 평가하기	보통	3점
23	④	쓰기	내용 조직	편지에 들어가는 내용 알기	보통	3점
24	⑤	문법	문장·담화	꾸며 주는 말의 효과 알기	어려움	4점
25	③	어휘	의미	낱말의 정확한 뜻 파악하기	보통	3점
26	④	문법	발음	겹받침이 들어간 낱말 알맞게 발음하기	보통	3점
27	⑤	어휘	관계	낱말 사이의 관계 파악하기	어려움	4점
28	②	쓰기	표현	꾸며 주는 말을 넣어 문장 고쳐 쓰기	어려움	4점
29	④	문법	표기	낱말의 정확한 표기 알기	보통	3점
30	③	쓰기	내용 생성	일이 일어난 차례를 생각하며 글 쓰기	보통	3점

풀이

01 다솜이가 쓰레기를 함부로 버리는 아이들을 보고 한 말이므로, 쓰레기를 버리면 안 된다는 말을 하고 싶었을 것입니다. 그리고 도서관에서는 조용히 해야 한다는 뜻으로 시끄럽다는 말을 하였을 것입니다.

02 '아이, 시끄러워!'는 듣는 사람의 기분을 상하게 할 수도 있는 말이기 때문에, 듣는 사람의 기분을 생각하여 ⑤와 같이 말하는 것이 좋습니다.

03 해가 서쪽으로 넘어가는 때를 뜻하는 토박이말은 '해거름'입니다.

04 답을 맞게 할 때에는 '맞히다', 어떤 일이 끝날 때에는 '마치다'를 씁니다. 농사 지을 때 식물이 자라도록 흙에 넣어 주는 것은 '거름', 두 발을 번갈아 옮기며 앞으로 움직이는 동작은 '걸음'이라고 합니다.

05 영우는 발표를 하기 전에 책을 보며 말할 내용을 미리 준비하였고, 듣는 친구들을 바라보며 또박또박 바른 자세로 자신의 꿈이 수의사라고 발표하였습니다.

06 식물은 새집 증후군을 일으키는 포름알데히드나 벤젠 등의 성분을 없앨 수 있다고 하였습니다.

07 복숭아나무는 미세 먼지를 없애는 효과가 별로 크지 않다고 하였으므로, 미세 먼지를 없애는 효과가 큰 나무를 심으라고 말해 주는 것이 좋습니다.

08 문장 부호를 보면 문장의 종류를 알 수 있습니다. 나머지는 모두 풀이하는 문장이고, 마지막 문장만 감탄을 나타내는 문장입니다.

09 '다치고'는 몸에 상처가 나거나 아픈 것을 뜻하는 말입니다. 문이 움직여서 가로막힐 때에는 '닫히다'를 씁니다.

10 '말'을 '말씀'으로, '주었다'를 '주셨다'로 고쳐야 알맞은 높임 표현이 됩니다.

11 글쓴이는 소중한 우리말을 아끼고 사랑해야겠다고 다짐하였으므로, ①~④와 같은 행동을 하는 것이 잘 어울립니다. ⑤는 우리말을 아끼고 사랑하는 것과 관련이 없습니다.

13 진주는 편지 형식으로 고마운 마음을 전하는 글을 썼는데, 틀린 낱말이 있어서 미호가 내용을 제대로 이해하지 못할 수 있습니다. 민수는 할머니께 전화 문자를 썼는데, 알맞은 높임 표현을 사용하지 않았고 띄어쓰기도 제대로 하지 않았습니다.

평가 개념과 도움말

02 듣는 사람의 기분을 생각하며 말하는 방법
- 듣는 사람의 상황을 생각하며 말합니다.
- 듣는 사람을 진심으로 위하는 마음으로 말합니다.

03 토박이말 사용하기
- 제일, 최고의 뜻을 나타내는 토박이말: 으뜸
- 산의 꼭대기를 나타내는 토박이말: 마루

05 자신 있게 말하기
- 말할 내용을 미리 생각하고 말합니다.
- 알맞은 크기의 목소리로 또박또박 말합니다.
- 듣는 사람을 바라보며 말합니다.
- 허리를 펴고 바른 자세로 말합니다.

08 문장의 종류와 문장 부호
- 풀이하는 문장: 마침표를 사용합니다.
- 묻는 문장: 물음표를 사용합니다.
- 감탄을 나타내는 문장: 느낌표를 사용합니다.

14 글쓴이가 겪은 일 중 가장 인상 깊었던 일은 무엇인지 생각하며 일기의 제목에 들어갈 말을 찾을 수 있습니다.

15 음력은 서양에서 만든 것이 아니라 우리 조상들이 써 오던 전통 방식의 달력입니다.

16 숲에 찻길이 생겨서 동물들이 마을 밖으로 나갈 수 없게 되어, 동물들이 먹이를 구하거나 가족을 만나러 갈 수 없게 되었습니다.

17 찻길 때문에 동물들이 마을 밖으로 나갈 수 없게 되었으므로, 동물들이 찻길 위로 다닐 수 있는 다리를 만들면 문제가 해결될 수 있을 것입니다.

18 치과에서 일어나는 일을 쓴 시이므로, 뽑은 이를 지붕 위로 던지는 풍습은 떠올리기 어렵습니다.

19 치과에서 이를 뽑기 위해 누워서 기다리고 있는 상황이므로, '나'는 걱정되고 두려웠을 것입니다.

20 아영이는 친구들이 방울토마토의 이름을 짓는 것에 관심을 보이지 않아서 슬픈 마음이 들었습니다.

21 신기한 독 때문에 마을을 다스리는 원님까지도 욕심을 부리다가 일이 잘못되어 누가 원님의 아버지인지 알 수 없게 됐습니다. 지나친 욕심을 부리면 화를 당한다는 주제와 관련이 있는 속담은 ⑤입니다.

22 장기려 선생님은 자신은 돌보지 않고 다른 사람을 먼저 돕는 훌륭한 의사입니다.

23 편지에는 받을 사람, 첫인사, 전하고 싶은 말, 끝인사, 쓴 날짜, 쓴 사람이 들어갑니다. '그럼 안녕히 계세요.'는 끝인사에 해당합니다.

24 꾸며 주는 말을 넣으면 문장의 내용이 더 자세해집니다.

25 특정한 음식만을 즐겨 먹는 것을 '편식'이라고 합니다.

26 '굵고'는 [굵꼬]로 소리 내어 읽습니다.

27 '가다'와 '오다'는 서로 뜻이 반대인 관계의 낱말입니다. 댁은 집의 높임 표현, 연세는 나이의 높임 표현, 진지는 밥의 높임 표현, 생신은 생일의 높임 표현입니다.

28 '빨간'은 사진 속 갈색 빛깔의 고양이를 꾸며 주기에 어울리지 않는 낱말입니다.

29 '부쳐씁니다'는 '붙였습니다'로 고쳐야 알맞습니다.

30 세 번째 그림은 점심시간에 가족과 밥을 먹는 내용으로 써야 합니다.

---

15 양력과 음력
- **양력**: 태양의 움직임을 기준으로 정한 서양의 달력
- **음력**: 달의 움직임에 따른 모양 변화를 기준으로 정한 조상들의 달력

19 시 속 인물의 마음을 상상하며 시 읽기
- 시 속 인물이 무엇을 하였는지 생각합니다.
- 시 속 인물이 겪은 일과 비슷한 경험을 떠올립니다.

21 여러 가지 속담
- 소 잃고 외양간 고친다: 일이 잘못된 뒤에는 손을 써도 소용이 없다.
- 가는 말이 고와야 오는 말이 곱다: 자기가 남에게 말이나 행동을 좋게 하여야 남도 그렇게 한다.

26 '굵다'의 겹받침 'ㄺ'
굵고[굵꼬]
굵어[굴머]
굵은[굴믄]
굵지[국찌]

실전 모의고사 **3**회 교재 | 78 ~ 95쪽

문항 번호	정답	대영역	중영역	평가 내용	난이도	배점
01	②	듣기·말하기	생성·조직	알맞은 낱말을 사용하여 말하기	보통	3점
02	④	듣기·말하기	사실	대화를 보고 내용 파악하기	보통	3점
03	②	듣기·말하기	비판·감상	칭찬하는 말을 하는 방법 평가하기	보통	3점
04	①	읽기	내용 확인	글의 내용 파악하기	쉬움	3점
05	③	읽기	추론	인물의 마음 짐작하기	보통	3점
06	①	어휘	관계	낱말 사이의 관계 파악하기	어려움	4점
07	③	어휘	의미	낱말의 정확한 뜻을 알고 사용하기	보통	3점
08	⑤	읽기	내용 확인	글의 내용 정확하게 파악하기	보통	3점
09	⑤	읽기	추론	의견에 대한 알맞은 까닭 짐작하기	어려움	4점
10	⑤	문법	표기	낱말의 정확한 표기 알기	보통	4점
11	⑤	문법	문장·담화	정확한 낱말을 사용하여 문장 고쳐 쓰기	보통	3점
12	④	읽기	추론	글을 읽고 인물의 생각 짐작하기	보통	4점
13	①	읽기	평가·감상	이야기 속 인물의 성격 파악하기	보통	3점
14	⑤	읽기	추론	이야기에서 일이 일어난 까닭 짐작하기	어려움	4점
15	①	읽기	내용 확인	일이 일어난 순서 파악하기	보통	3점
16	④	읽기	내용 확인	주장하는 글의 내용 파악하기	보통	3점
17	①	문학	수용과 생산	시의 내용 파악하기	보통	3점
18	②	문학	지식	시 속 인물의 성격 파악하기	어려움	4점
19	②	문법	문장·담화	상황에 맞는 문장 사용하기	보통	3점
20	④	어휘	개념	마음을 표현하는 말 알기	보통	3점
21	②	문학	지식	이야기를 읽고 인물의 마음 짐작하기	보통	3점
22	④	문학	수용과 생산	이야기에서 일이 일어난 까닭 파악하기	쉬움	3점
23	④	문법	표기	낱말의 정확한 표기 알기	보통	3점
24	④	문법	발음	겹받침의 정확한 발음 알기	어려움	4점
25	⑤	문학	수용과 생산	이야기를 읽고 비슷한 경험 떠올리기	보통	4점
26	④	쓰기	내용 조직	인상 깊었던 일을 글로 쓰기	보통	4점
27	③	문법	규범	문장 부호의 이름과 쓰임 알기	보통	3점

28	⑤	쓰기	내용 생성	소개하는 글에 들어갈 내용 떠올리기	보통	3점
29	③	쓰기	표현	흉내 내는 말을 넣어 문장 고쳐 쓰기	어려움	4점
30	③	어휘	확장	어휘의 표기와 뜻 알기	보통	3점

풀이

01 민수가 올바르지 못하고 비뚤어지다를 뜻하는 '틀리다'를 잘못 사용하여, 장페이가 오해하고 말았습니다. 서로 같지 않다는 뜻의 '다르다'를 넣어 민수의 말을 고쳐야 합니다.

03 호영이는 아인이의 칭찬을 듣고 고맙다고 대답하면서, 아인이도 글씨를 잘 쓴다고 칭찬해 주었습니다.

04 가은이 어머니는 신발 가게에서 공주 그림이 그려진 노란 새 운동화를 가은이에게 사 주셨습니다. 운동화의 색깔이 다른 색과 섞여 있다는 내용은 나타나 있지 않습니다.

05 가은이는 어머니가 새 운동화를 사 주셔서 고마웠을 것입니다. 그리고 운동장에서 노는 아이들이 함께 술래잡기를 하자고 말해 주어서 고마웠다고 하였습니다.

06 '직업'은 정보 검색사, 생명 공학 기술자, 게임 디자이너 등을 모두 포함할 수 있는 말로, 그 뜻이 더 넓습니다. 그래서 ㉠은 ㉡~㉣을 대표하는 낱말이라고 표현할 수 있습니다.

06 어휘의 관계

07 '적다'는 수나 양을 비교할 때 쓰는 말이므로, 키와 같이 크기나 수치를 비교할 때에는 '작다'를 사용해야 합니다.

08 2019년에 기르고 있는 고양이의 수는 258만 마리라고 글에 나타나 있으므로, 표의 ㉤ 부분 '285만 마리'는 틀린 내용입니다.

09 동물을 방치하거나 버리는 것에 대한 대책으로 고양이를 키우기 시작할 때 주민 센터에 등록을 시켜 관리한다는 의견이 나타나 있습니다. 이 의견을 뒷받침할 수 있는 내용으로 알맞은 것은 ⑤입니다.

09 의견에 대한 까닭
- 의견과 관련이 있어야 합니다.
- 의견을 뒷받침할 수 있어야 합니다.

10 '그림니다'는 '그립니다'로 고쳐 써야 알맞습니다.

11 '업씨도'는 '없이도'로, '발씁니다'는 '밝습니다'로 고쳐 써야 합니다.

12 가림이는 이를 잘 닦지 않으면 이가 썩어서 아프고 건강을 해치니까 앞으로 이를 잘 닦는 습관을 기르겠다고 다짐했을 것입니다.

13 성격을 나타내는 말
- 너그럽다: 마음이 넓고 따뜻하여 속이 깊다.
- 게으르다: 행동이 느리고 움직이기를 싫어한다.

13 하인들이 놓는 쥐덫을 모두 치우라고 하고, 쥐들에게 매일 먹을 것을 주라고 시킨 부자는 너그러운 인물입니다.

14 부자가 생쥐들이 은혜를 갚으려고 춤을 추며 사람들을 바깥으로 나갈 수 있게 도왔다고 말한 부분을 통해 생쥐들이 그렇게 행동한 까닭을 짐작할 수 있습니다.

15 콩이는 새로 이사를 온 집에 놀러 가서 가장 먼저 일개미를 만났습니다. 그다음 애벌레 방을 구경하며 애벌레를 만났고, 점심때 여왕개미를 만났습니다. 저녁때에는 마법사 개미를 만났습니다.

16 글쓴이는 자연을 보호하고 아껴야 한다는 주장을 썼습니다. 이를 위한 방법으로, 꽃이나 나무를 함부로 꺾으면 안 된다고 하였고, 산에 쓰레기를 버리면 안 된다고 하였습니다. 또 가까운 거리는 걷거나 지하철을 이용해 움직여야 한다고 하였습니다.

17 '나'와 아버지가 즐겁게 노는 모습을 떠올릴 수 있는 시이기 때문에 아빠에게 공부를 물어보는 것은 '나'의 경험으로 보기 어렵습니다.

18 '나'와 친구처럼 잘 놀아 주시는 아버지는 자상한 성격입니다.

19 가영이가 삼촌과 있었던 일이라고 대답하였으므로, 누구와 있었던 일인지 묻는 문장이 들어가야 합니다.

20 '부끄러웠다'는 마음을 표현하는 말이므로, 마음을 표현하는 말이 아닌 것을 답으로 찾아야 합니다.

21 몹시 무서워질 때 '간이 콩알만 해지다.'를 쓸 수 있습니다.

22 도둑은 할아버지와 할머니가 마치 자신을 지켜보고 있는 것처럼 느껴서 도망갔을 것입니다.

23 '아무대나'를 '아무 데나'로, '조아'를 '좋아'로 고쳐 써야 알맞은 문장이 됩니다.

24 '밝아서', '밝아', '밝은'에 들어간 '밝'의 받침은 모두 [ㄹ]로 소리 나고, '밝지'에서 '밝'의 받침은 [ㄱ]으로 소리 납니다.

25 미니가 주인 없는 강아지에게 그랬던 것처럼, 우식이는 책을 갖고 싶어했지만 잃어버린 사람의 마음을 헤아려 주었습니다.

26 뿌듯하고 기뻤다는 내용은 '생각이나 느낌'에 해당합니다.

27 느낌표는 감탄을 나타내는 문장의 끝에 씁니다.

28 '장래 희망'은 커서 무엇이 되고 싶은지를 알려 주는 내용입니다.

29 사이좋게 지내는 모습에는 '오순도순', 쌓인 모양을 꾸며 줄 때에는 '차곡차곡'이 어울립니다.

30 '멍멍' 소리를 내며 '지' 자로 끝나는 동물은 강아지입니다.

15 **시간을 나타내는 말을 보고 일이 일어난 순서 파악하기**
아침에는 애벌레 방을 구경했어요. → 점심때는 여왕개미 방에 갔어요. → 저녁때가 되었어요.

20 **마음을 표현하는 낱말**
• **긍정적인 마음**
상쾌하다 / 다행스럽다 / 행복하다 등
• **부정적인 마음**
미안하다 / 걱정스럽다 / 화난다 등

21 **'간'이 들어간 관용구**
• **간이 작다**: 겁이 많다.
• **간이 크다**: 겁이 없다.

24 **'밝다'의 겹받침 'ㄺ'**
밝아서[발가서]
밝아[발가]
밝은[발근]
밝지[박찌]

29 **흉내 내는 말**
• **쌩쌩**: 바람이 세게 스쳐 지나가는 소리를 흉내 내는 말.
• **찰칵**: 작고 단단한 물건이 조금 가볍게 부딪치는 소리를 흉내 내는 말.
• **슬금슬금**: 남이 알아차리지 못하도록 조심스럽게 행동하는 모양을 흉내 내는 말.

실전 모의고사 4회

교재 | 96 ~ 112쪽

문항 번호	정답	대영역	중영역	평가 내용	난이도	배점
01	②	듣기·말하기	사실	대화를 보고 상황 파악하기	보통	3점
02	④	듣기·말하기	추론	마음을 표현하는 말 사용하기	보통	3점
03	⑤	듣기·말하기	생성·조직	칭찬하는 말을 하는 방법 알기	보통	3점
04	③	문법	발음	낱말의 정확한 발음 알기	보통	3점
05	①	읽기	내용 확인	이야기를 읽고 내용 파악하기	보통	3점
06	⑤	읽기	추론	이야기에서 일어난 문제 해결하기	어려움	4점
07	④	읽기	내용 확인	글의 내용 파악하기	쉬움	3점
08	④	읽기	추론	글에서 인물이 겪은 일 파악하기	보통	3점
09	④	읽기	내용 확인	소개하는 글의 내용 파악하기	보통	3점
10	⑤	쓰기	고쳐 쓰기	소개하는 글에 들어갈 내용 고쳐 쓰기	어려움	4점
11	②	읽기	내용 확인	주장하는 글의 내용 파악하기	보통	3점
12	④	읽기	추론	주장을 실천할 수 있는 방법 짐작하기	어려움	4점
13	②	어휘	관계	낱말 사이의 관계 파악하기	보통	3점
14	③	어휘	의미	낱말의 표기와 뜻 알기	보통	3점
15	④	읽기	내용 확인	설명하는 글의 내용 파악하기	쉬움	3점
16	④	어휘	확장	글의 내용을 토대로 합성어 짐작하기	보통	3점
17	③	읽기	평가·감상	생각을 나타내는 글을 읽고 평가하기	어려움	4점
18	⑤	문학	수용과 생산	시 속 인물의 마음 짐작하기	어려움	4점
19	⑤	문학	수용과 생산	시에 나타나 있는 표현 알기	보통	3점
20	⑤	문학	지식	이야기 속 인물의 성격 파악하기	쉬움	3점
21	②	문학	지식	이야기를 읽고 교훈 찾기	어려움	4점
22	①	문학	수용과 생산	이야기에서 일어난 일 사이의 관계 알기	보통	4점
23	④	어휘	의미	헷갈리는 낱말의 뜻 구별하기	어려움	4점
24	③	쓰기	내용 생성	겪은 일의 순서를 생각하며 일기 쓰기	보통	3점
25	④	문법	발음	낱말의 정확한 발음 알기	보통	3점
26	④	문법	문장·담화	알맞은 순서로 문장 만들기	어려움	4점
27	③	쓰기	내용 조직	소개하는 글에 쓸 내용 떠올리기	보통	3점

28	③	문법	표기	낱말의 정확한 표기 알기	보통	4점
29	③	어휘	개념	흉내 내는 말의 개념 알기	보통	3점
30	⑤	문법	문장·담화	문장의 종류 구별하기	보통	3점

풀이

02 고마운 마음이 들 만한 상황으로 어울리지 않는 것을 골라야 합니다. 친구가 내 물건을 빌리고 나서 돌려주지 않는다면 서운한 마음이 들 것입니다.

03 칭찬하는 말을 할 때에는 열심히 하고 노력하는 점, 잘하는 점 등에 대해 자세히 말해 줍니다.

04 '옆에'는 [여페]로 소리 내어 읽어야 합니다. '옆' 다음 글자가 'ㅇ'으로 시작하면, '옆'의 받침이 다음 글자로 넘어가서 소리 납니다.

05 고양이가 매일 쥐 한 마리를 잡아가서, 쥐 가족은 집 안에 있는 먹이를 모두 먹어 버리고 말았습니다.

06 고양이 목에 방울을 달면 좋은 점을 떠올려 알맞은 내용을 찾습니다.

07 가은이는 어머니의 얼굴을 정성껏 그려서 어머니께 생신 선물을 드렸습니다.

08 가은이가 겪은 일 중 가장 인상 깊었던 부분이 드러나는 제목, 가은이의 마음이 잘 드러나는 제목을 골라야 합니다.

09 나영이의 짝은 종이접기를 좋아한다고 하였습니다.

10 민수는 짝의 이름, 모습, 좋아하는 것, 잘하는 것이 무엇인지 제대로 쓰지 않고, 필요 없는 내용을 썼습니다. 나영이는 짝의 성별을 알 수 없게 썼습니다.

11 글쓴이는 숲이 우리에게 많은 도움을 주기 때문에 숲을 아끼고 잘 가꾸어야 한다고 생각합니다.

12 숲속에서 야영을 할 때 고기를 구워 먹으면 숲에 불이 날 수도 있기 때문에, 숲을 잘 지키고 가꿀 수 있는 방법으로 알맞지 않습니다.

13 봄이 되면 볼 수 있는 노란색 식물은 '꽃' 중에 하나라고 생각할 수 있습니다.

14 봄이 되면 피는 노란색 꽃을 세 글자로 된 낱말로 나타내면 '개나리'가 됩니다. 네 글자로 나타내면 '개나리꽃'이라고도 씁니다.

03 칭찬을 듣고 대답하는 말을 하는 방법
• 칭찬에 대해 고마움을 표시합니다.
• 칭찬해 준 사람을 같이 칭찬해 줍니다.
• 칭찬을 듣고 겸손한 태도로 대답합니다.

07 인상 깊었던 일 중에서 쓸 내용 떠올리기
• 인상 깊었던 일이란? 자신이 겪은 일 중에서 가장 기억에 남는 일
• 언제, 어디에서, 누구와, 무슨 일이 있었는지, 그때의 생각이나 느낌을 떠올립니다.

10 친구를 소개하는 글 쓰기
• 친구에 대한 내용 중 중요한 것을 골라서 씁니다.
• 친구의 특징이 잘 드러나게 씁니다.
• 소개하는 글을 읽을 사람이 궁금해할 내용을 씁니다.

15 사람의 몸은 일정한 체온을 유지하기 위해서 덥지 않을 때에도 눈에 보이지 않을 만큼 아주 작은 크기의 땀을 피부 바깥으로 내보낸다고 하였습니다.

16 땀이 물방울처럼 뭉친 것을 '땀방울'이라고 나타낼 수 있습니다.

17 주운 연필에 이름이 적혀 있지 않아서 주인에게 돌려줄 수 없었던 현진이는 친구들에게 학용품에 이름을 꼭 쓰자는 생각을 전하기 위해 알맞은 까닭을 들어 편지를 썼습니다.

18 ㉠은 아빠의 말, ㉡은 엄마의 말을 직접 말하듯이 표현한 부분이므로, 부모님의 목소리를 흉내 내어 읽을 수 있습니다.

19 강아지풀이나 도깨비바늘이 들판에서 자라듯이, '나'를 자라게 하고 안아 주시는 부모님을 들판이라고 표현하였습니다.

20 심술궂게 욕심을 부리던 거인은 정원에 겨울만 계속되자, 자신의 잘못을 깨닫고 너그럽고 착한 성격으로 바뀌었습니다.

21 게으름만 피우다가 소가 된 게으름뱅이에게 일이 이미 잘못된 뒤에는 후회해도 소용이 없다는 뜻의 속담, '소 잃고 외양간 고친다'를 사용할 수 있습니다.

22 게으름뱅이가 쇠머리 탈을 쓰고 나서 어떤 일이 일어날지 떠올려야 합니다. 소가 된 게으름뱅이가 무밭으로 뛰어들었다는 내용은 글 **나**의 다음 부분에 일어날 일로 알맞습니다.

23 생각이나 약속을 까먹을 때에는 '잊어버리다'를 씁니다.

24 글쓴이가 놀고 나서 마지막으로 할 일로는 씻고 천막에 들어갔다는 내용이 가장 알맞습니다.

25 '낙지'는 [낙찌]와 같이 소리 내어 읽습니다.

26 '먹고' 다음에 '싶습니다'를 써야 하므로, '카레' 앞에 '맛있는'을 꾸며 주는 말로 넣어 '맛있는 카레를 먹고 싶습니다.'라는 문장으로 만드는 것이 가장 자연스럽습니다.

27 준하의 짝 동훈이는 키가 크고 눈썹이 진합니다.

28 '꿈은', '집에', '길에', '앉아서' 등의 받침이 있는 낱말을 소리 나는 대로 쓰지 않도록 주의합니다.

29 흉내 내는 말을 꾸며 주는 말로 넣은 문장이 아닌 것을 찾습니다.

30 할머니가 깜짝 놀라 뒤로 넘어지면서 하는 말이므로 느낌표를 넣어 감탄을 나타내는 문장을 쓰는 것이 잘 어울립니다.

17 생각을 쓴 글의 주요 내용
• 글쓴이가 하고 싶은 말이 주요 내용으로 나타나 있습니다.
• 글쓴이가 그렇게 말한 까닭도 주요 내용입니다.

20 인물의 모습을 상상하며 이야기 읽기
• 인물의 말, 행동, 생김새 등을 나타내는 표현을 찾습니다.
• 그 표현을 찬찬히 생각하며 인물의 모습을 상상합니다.

23 헷갈리는 낱말 구별하기
• **잊어버리다:** 한번 알았던 것을 모두 기억하지 못하거나 전혀 기억해 내지 못하다.
• **잃어버리다:** 가졌던 물건이 자신도 모르게 없어져서 그것을 갖지 않게 되다.

29 흉내 내는 말
• **파릇파릇:** 군데군데 파르스름한 모양을 흉내 내는 말
• **뭉게뭉게:** 연기 같은 것이 둥글게 나오는 모양을 흉내 내는 말

立身揚名

설 · · · · · · · 　몸 · · · · · · ·　날릴 · · · · · · ·　이름 · · · · · · ·
입　　　신　　　양　　　명

'호랑이는 죽어서 가죽을 남기고,
사람은 죽어서 이름을 남긴다.'는 속담을 알고 있나요?
착하고 훌륭한 일을 하면 그 사람의 이름이 후세에까지 빛난다는 뜻인데,
'입신양명'도 같은 의미로 사용되는 말이랍니다.
열심히 공부하는 여러분! '입신양명'을 응원합니다.

해당 콘텐츠는 천재교육 '똑똑한 하루 독해'를 참고하여 제작되었습니다.
모든 공부의 기초가 되는 어휘력+독해력을 키우고 싶을 땐,
똑똑한 하루 독해&어휘를 풀어보세요!

정답은
이안에
있어 . !